D0177213

Hélène Gagnon

LA MAGIE DE L'EAU

MARY MURYN

LA MAGIE DE L'EAU

Éditions de Mortagne

Données de catalogage avant publication (Canada)

Muryn, Mary

La magie de l'eau

Traduction de : Water Magic.
Comprend des réf. bibliogr.

ISBN 2-89074-853-7

1. Bains tièdes – Emploi en thérapeutique. 2. Beauté corporelle. 3. Guérison, I. Titre.

RM822.W2M8714 1996 615.8'53 C96-940755-6

Titre original
Water Magic
Copyright © 1995 by Mary Muryn

Édition
Les Éditions de Mortagne
250, boul. Industriel
Bureau 100
Boucherville (Québec)
J4B 2X4

Distribution
Tél.: (514) 641-2387
Téléc.: (514) 655-6092

Tous droits réservés
Les Éditions de Mortagne
© Copyright Ottawa 1995

Dépôt légal
Bibliothèque nationale du Canada
Bibliothèque nationale du Québec
Bibliothèque Nationale de France
3e trimestre 1996

ISBN : 2-89074-853-7

1 2 3 4 5 - 96 - 00 99 98 97 96

Imprimé au Canada

Table des matières

DEUXIÈME PARTIE

Bains homéopathiques 57

TROISIÈME PARTIE

Bains thérapeutiques 79

SIXIÈME PARTIE

SEPTIÈME PARTIE

Avant-propos

Mon amie Mary est une mystique qui connaît tout plein de choses que la plupart des gens ignorent. C'est avec beaucoup de générosité qu'elle a toujours partagé ses précieuses connaissances avec ses amis et ses clients, et ce, depuis de nombreuses années. Nous l'avons enfin persuadée de consigner dans un livre une infime partie de son art afin que le monde entier puisse bénéficier du savoir exceptionnel de cette guérisseuse.

Le présent ouvrage traite du bain en tant qu'outil thérapeutique des plus agréables pour guérir le corps, l'esprit et l'âme. Mary a parcouru le monde afin de recueillir des thérapies qui peuvent transformer une simple baignoire en une oasis de guérison, un temple sacré ou un établissement thermal privé. Parmi tous les bains suggérés, il y en a très peu dont je n'aie pas moi-même profité avec bonheur. J'ai même l'impression que je ne pourrais plus vivre sans quelques-uns d'entre eux.

La meilleure chose que je pourrais vous souhaiter serait d'avoir Mary comme amie. Mais, à défaut, c'est avec grand plaisir que je vous recommande ce merveilleux petit recueil. J'espère qu'il saura vous amuser, vous éclairer et vous faire connaître d'agréables expériences de guérison, de joie, de volupté et de sérénité.

Cathy Cash-Spellman

Préface

Nous pourrions faire du bain la seule oasis de solitude et de plaisir qui soit toujours à notre portée, un îlot de délassement paisible dans un monde agité et toujours plus exigeant.

J'ai écrit le présent ouvrage afin de vous faire connaître les possibilités extraordinaires qu'offre le bain pour le bien-être, la guérison, les soins de beauté et la croissance spirituelle. Au cours des siècles, des gens de grande sagesse ont percé certains des secrets qui ont toujours entouré le rituel du bain. Il y a des bains qui apaisent les émotions, des bains qui guérissent les maladies, des bains qui font rajeunir. Il y a aussi des bains aux propriétés métaphysiques qui peuvent nettoyer l'aura, favoriser l'intuition, dissiper toute négativité et aider l'esprit à prendre son essor.

Je vous invite à m'accompagner dans un voyage éclairant au fil de l'eau afin de découvrir les plaisirs sensuels, spirituels et sybaritiques qui vous attendent au creux de votre baignoire. Je vous apprendrai à convertir en un rituel de plaisir une activité souvent jugée nécessaire mais combien banale. Une fois que vous vous serez abandonné à l'univers du bain rituel, peut-être découvrirez-vous que votre esprit peut s'envoler très loin de la baignoire pour s'harmoniser aux grands flux et reflux cosmiques de l'Univers.

Notes autobiographiques

Je viens d'une famille qui a été profondément imprégnée du mystère et de la magie de l'Ukraine. Les Tziganes, leurs boules de cristal et leurs feuilles de thé, les esprits de la Terre habitant les montagnes de cristaux de neige, les loups-garous et les sorciers ont toujours fait partie de ma réalité quotidienne.

Je fus moi-même initiée à mes dons spirituels particuliers dès l'âge de cinq ans, lorsqu'un personnage doré apparut dans ma chambre. Je courus pour l'embrasser et il disparut, mais son souvenir chatoyant demeura dans ma conscience comme le présage de dons à venir.

Jusqu'à l'époque où je terminai mes études aux États-Unis et commençai à enseigner dans un collège, ma vie avait été guidée par de nombreux événements métapsychiques insolites. Mais c'est uniquement quand j'ai rencontré Pat Rodegast, médium célèbre à travers qui s'exprime l'esprit-guide Emmanuel, que j'ai accepté la voie ésotérique qui m'était destinée.

Pat m'apprit que j'étais une guérisseuse et que je devais me préparer pour l'œuvre de guérison que l'Univers attendait de moi. Je commençai donc à étudier sans bien savoir à quel point cette route se révélerait aventureuse et pleine de détours, ni où elle devait me conduire.

Mon enfance

Dans ma jeunesse, je racontais mes rêves à ma mère et celle-ci me disait mon avenir. Bien sûr, elle avait toujours raison, et je grandis en croyant que toutes les mères avaient cette faculté.

Mon père, quant à lui, était un peu médium. Il me raconta qu'une chanteuse d'opéra célèbre, une cousine du tsar, lui avait «lu» son avenir. Elle avait prédit qu'il viendrait aux États-Unis et lui avait décrit les principaux événements qu'il y vivrait. Mais il a un don encore plus utile : lorsqu'il joue au *black-jack,* il est toujours envahi par le pressentiment de la carte suivante. Il adore jouer de temps en temps et quand il le fait, il gagne à tout coup. Lorsque j'étais toute petite et que nous allions à une fête foraine, si je désirais un prix quelconque, mon père n'avait qu'à choisir un numéro, faire tourner la roue, et la poupée ou l'animal de peluche convoité était à moi. On nous a déjà chassés d'un parc d'attractions parce que nous gagnions trop de prix!

À la maison, il était toujours question de fantômes ou de prédictions infaillibles des bohémiens. Dans l'Ukraine d'alors, il y avait des devins partout. L'avenir n'avait rien de mystérieux : il suffisait de poser des questions.

Ayant baigné dans cet héritage familial toute ma jeunesse, ce n'est qu'au collège que j'ai découvert que le monde entier n'était pas comme mon pays natal. En fait, c'est moi que toutes mes amies venaient voir pour se faire prédire *leur* avenir et interpréter leurs rêves. Connaître des choses que les autres ignoraient faisait partie de moi.

Ma mère était la fille d'un riche propriétaire terrien qui appartenait à l'aristocratie et elle avait une grand-mère qu'on disait médium et sorcière. Dans son village des Carpates (de même que dans tous les villages avoisinants), les médiums et les guérisseurs étaient nombreux. Les habitants n'avaient pas confiance aux médecins (qui d'ailleurs étaient très rares); si vous étiez malade, vous alliez voir un sorcier ou un guérisseur.

Tout le monde croyait aux esprits de la nature. Les brins d'herbe pouvaient se parler entre eux, de même que les arbres. En outre, on devait traiter les esprits des royaumes animal et végétal avec tout le respect qui leur était dû, puisqu'ils étaient nos frères aînés sur cette planète.

Ce sont les Anciens des villages qui étaient les principaux guérisseurs de l'Ukraine. Ils détenaient des connaissances séculaires sur les fleurs, les herbes et les racines, et ils savaient guérir toute maladie, même le cancer. L'aloès était alors un remède très populaire contre différents maux d'estomac et chaque famille en cultivait.

La plupart de ces gens furent tués par Staline et par les dirigeants de la révolution russe au cours des purges pratiquées en Ukraine. Malheureusement, une bonne partie de leur grand savoir est morte avec eux.

MES PREMIERS PAS SUR LA VOIE

Lorsque j'étais dans la jeune vingtaine, j'entrepris une quête spirituelle. Je voulais en savoir davantage sur le côté spirituel et mystique de la vie, car mon éducation catholique avait laissé sans réponse un trop grand nombre de questions. Je me suis mise à la recherche de mystiques, de chamans, de gurus, de guérisseurs, de rabbins et de prêtres – bref, quiconque pouvant me servir de guide pour ce voyage mystérieux.

Au cours de plusieurs années de recherche et d'études dirigées, j'ai appris à développer mes facultés métapsychiques et mes pouvoirs de guérison, à ouvrir mes centres d'énergie spirituelle, ou chakras, puis à libérer mes forces, à percevoir les plans physique, subtil et causal de la réalité et finalement, à intégrer le corps, l'esprit et l'âme à ces trois niveaux.

Une pratique assidue de la méditation et du yoga a contribué à l'ouverture de tous mes sens principaux, au point où mes rêves pouvaient souvent prédire les événements du lendemain, voire l'heure précise de leur manifestation.

En 1977, des amis m'ont parlé d'un médecin-chiropraticien de New York qui était aussi un guérisseur prodigieux. Je décidai d'aller le consulter pour une blessure au cou qui me faisait beaucoup souffrir. Bien que j'eusse déjà vu de nombreux spécialistes sans obtenir le moindre soulagement, je fus guérie après seulement trois sessions d'un traitement combiné de vitaminothérapie et de manipulations chiropratiques sacrales-occipitales. Il m'expliqua que, pour que j'obtienne une guérison complète, mon énergie devait être rééquilibrée au moyen de l'acupuncture en travaillant sur les méridiens du corps. Cela m'intrigua profondément et je voulus tout savoir de cette possibilité de guérison par de mystérieux courants d'énergie. Nous sommes devenus bons amis et il m'ouvrit de nombreuses portes dans le monde de la guérison naturelle. Il m'a amenée à de nombreux congrès de médecine alternative où différents spécialistes – naturopathes, homéopathes, nutritionnistes, physiciens, médecins et guérisseurs – venaient partager leurs connaissances. Ces personnes ont toutes contribué à m'ouvrir les yeux et l'esprit à une réalité beaucoup plus large que celle dont j'avais rêvé jusque-là.

Pat Rodegast voit mon avenir

Vers la fin des années soixante-dix, j'ai déménagé à Westport, dans le Connecticut. Peu après mon arrivée, on m'a présentée à Pat Rodegast dont j'ai parlé un peu plus tôt.

Pat est l'auteure d'*Emmanuel,* un ouvrage qui a été un grand succès de librairie et qui rapporte les propos d'une entité désincarnée qui s'exprime à travers elle. Il s'agit de conseils pleins de sagesse, d'amour et d'intelligence qui s'adressent à nous, mortels, et qui parlent de notre place dans l'univers. Pat voyage beaucoup, donnant un peu partout des ateliers et des séminaires sur divers sujets de nature spirituelle.

Un jour, alors qu'elle était en train de me donner une lecture, elle s'arrêta tout net, me regarda attentivement et dit : «Que fais-tu ici, au juste? C'est toi qui devrais faire ce que je suis en train de faire!» Quelques années plus tard, Pat me fit l'insigne honneur de se faire lire par moi à diverses occasions. Elle me pressa de reconnaître mes pouvoirs de guérison, parce que c'était là, disait-elle, ma destinée.

Pat fut pour moi un guide et un mentor extraordinaire. Nous percevions toutes deux très clairement la majesté et la vérité de la connexion esprit-corps-âme. Nous avons mis sur pied un groupe de guérison expérimental en collaboration avec des psychothérapeutes. Les thérapeutes sondaient les aspects psychologiques de la personne à guérir, Pat travaillait au niveau métapsychique, tandis que moi je travaillais sur le corps, libérant les énergies bloquées qui provoquaient une maladie ou une souffrance. Au cours de ces sessions, nous explorions l'importance fondamentale des trois aspects de l'être dans le processus de guérison d'une personne.

Bientôt, d'innombrables voies extraordinaires devaient s'ouvrir devant moi.

J'ai étudié différentes philosophies avec tous les guérisseurs de bonne réputation que je pouvais trouver : les plantes médicinales, la guérison naturelle, l'homéopathie, les cristaux, la réflexologie, l'imposition des mains, le tarot, l'astrologie, la métaphysique et la thérapie de la polarité. Je commençais à voir que chacune de ces approches détenait une pièce importante du casse-tête.

Parmi tous les guérisseurs avec qui j'ai travaillé, c'est le docteur Pierre Pannetier qui fut le plus important. Le Dr Pannetier était le fils d'un neurochirurgien français et sa mère était une bouddhiste franco-cambodgienne. Au cours de la Seconde Guerre mondiale, Pierre était en poste dans le sud du Pacifique, là où une longue tradition de sorciers et de chamans était florissante. C'est un chaman de grande réputation qui reconnut dans son aura une faculté peu commune, qui lui prédit qu'il survivrait à la guerre et qu'il deviendrait un guérisseur exceptionnel.

Malheureusement, à cause d'une grave pénurie d'eau, plusieurs unités cantonnées dans cette région furent privées d'eau potable, de sorte que lorsqu'ils prirent la mer, les hommes durent, pour subsister, boire de l'alcool pendant de longues périodes. Pour cette raison, Pierre subit des lésions très sérieuses au foie. Aussi, après la guerre, se mit-il à la recherche du Dr Randolf Stone, fondateur de la polarité-thérapie. Non seulement le Dr Stone parvint-il à guérir son foie de même qu'une paralysie de la région lombaire, mais il le prit comme élève.

Le Dr Stone était ostéopathe, chiropraticien, et aussi ministre du culte. Très insatisfait des méthodes thérapeutiques traditionnelles, il déplorait la faible réaction positive des patients à la médecine conventionnelle. Sa quête de réponses nouvelles l'amena jusqu'en Inde, auprès d'un guru-guérisseur qui lui enseigna les arts ayurvédiques indiens, la guérison spirituelle, ainsi que la façon dont l'énergie fonctionne dans le corps pour canaliser la force de vie. Ensuite, il étudia l'acupuncture chinoise et finit par combiner des concepts médicaux de l'Orient et de l'Occident afin d'intégrer le lien corps-mental-esprit d'une manière très fine et très précise; c'est ce qu'il appela la thérapie de la polarité.

Lorsqu'il tentait d'expliquer l'énergie et le processus de guérison, le Dr Stone disait que «les faits tout simples sont semblables à l'irrigation des champs de la terre. Le fermier se promène avec une pelle et ramasse les déchets qui s'accumulent dans les rigoles. C'est aussi simple que cela, quand on connaît la vie.» Lorsque le Dr Stone prit sa retraite et qu'il déménagea en Inde, il fit du Dr Pannetier son successeur afin qu'il continue à transmettre ses enseignements.

J'ai étudié six années avec le brillant Dr Pannetier et je suis devenue son apprentie. Il a fait chez moi des séjours prolongés, et moi, j'assistais à ses ateliers à la fois comme élève et comme assistante. Lorsqu'il prit sa retraite, il a exprimé le souhait que je poursuive son travail et son enseignement.

Au début, je m'exerçais sur mes amis afin de vérifier l'état de mes capacités thérapeutiques; ces derniers commencèrent bientôt à m'envoyer leurs propres amis de même que les membres de leur famille. Puis, ce furent des médecins et des thérapeutes qui m'invitèrent à travailler avec eux; avant même de m'en être aperçue, j'avais une nouvelle carrière.

Au fond de mon cœur, j'avais toujours su que j'étais une guérisseuse. D'aussi loin que je me souvienne, des amis et des inconnus sont venus me voir en quête d'aide ou de conseils. Même mes parents s'étaient mis à espacer leurs visites chez le médecin, puisque, disaient-ils, mes dons étaient supérieurs aux siens.

Dans ma recherche de la vérité, j'ai beaucoup voyagé et je suis allée voir de nombreux chamans et autres guérisseurs, médiums ou prophètes, afin d'explorer les mystères des différentes cultures et religions. J'ai ainsi pu voir et expérimenter des choses assez étonnantes. Au Brésil, un prêtre macumba m'a fait entrer en transe en hommage à mes pouvoirs psychiques. Être ainsi admise à participer aux rituels de la tribu constituait un honneur qu'on accordait rarement à un étranger. À Bali, j'ai été témoin de la guérison d'une paralytique par un guérisseur en transe qui communiquait avec les ancêtres de la femme ainsi qu'avec les dieux. Chez les

Balinais, la transe fait partie de la vie de tous les jours. Au cours de certaines cérémonies, j'ai pu observer de jeunes hommes que des prêtres avaient fait entrer en transe et qui, subissant la possession de Ragdah (l'esprit le plus maléfique), se transperçaient la poitrine avec des kriss; or, parce qu'ils étaient dans un état modifié de conscience, il n'y avait aucune effusion de sang et leurs blessures guérissaient avec une rapidité qui n'avait rien de naturel.

Au cours d'une danse du feu, j'ai pu constater le pouvoir de l'esprit sur le corps alors qu'un jeune villageois en transe dansait sur un feu sans s'infliger la moindre brûlure. Des spectateurs ont été brûlés par des tisons qu'il avait frappés de ses pieds, alors que lui-même dansait indemne au milieu des flammes.

Au Brésil, j'avais rencontré des guérisseurs qui travaillaient avec les cristaux, mais c'est une indienne cherokee qui m'enseigna les rituels des cristaux. J'ai aussi étudié avec un moine jaïna (Acharya Sushil Kumaji Maharaj) qui m'initia à la thérapie par la couleur, à la guérison énergétique, au voyage hors du corps, à la visualisation, au pouvoir de l'esprit, et qui m'apprit comment développer la clairvoyance. Leader mondial en faveur de la paix, il était à la tête du jaïnisme, religion non violente très puissante.

J'ai parcouru le vaste monde, recueillant des connaissances ésotériques à d'innombrables sources, guérissant et enseignant. À présent, par cet ouvrage, je désire partager sur une plus grande échelle tout ce que j'ai appris.

Le pouvoir de guérir (se guérir soi-même et guérir les autres) est en chacun de nous. Je vous offre le savoir de ce livre dans l'espoir qu'il saura améliorer votre vie et vous faire faire un pas de plus sur la merveilleuse voie de l'illumination.

Réflexions sur l'eau

LA MAGIE THÉRAPEUTIQUE DE L'EAU

Sans eau, notre planète n'aurait aucune chance de survie. Sans eau, l'homme serait incapable de vivre. Notre organisation même repose sur le besoin d'eau. L'eau purifie..., l'eau nourrit..., l'eau entretient toute vie, du moins celle que nous connaissons.

Le présent ouvrage est un plaidoyer en faveur de la restitution du caractère sacré de l'eau sur cette planète. Voyez comme l'eau est source de joie pour l'humanité. Les enfants qui s'ébattent dans les vagues au bord de la mer, les gracieux coquillages et les cailloux multicolores polis par les marées, les majestueux récifs de corail abritant d'innombrables hôtes de l'océan. Quelle incroyable quantité de nourriture n'a-t-on pas tirée de l'océan depuis des millénaires afin de nourrir les sociétés?

L'eau est un mystère.

Siddharta s'était assis sous un arbre au bord d'une rivière et c'est en écoutant couler l'eau qu'il prit conscience de tous les secrets cosmiques de l'Univers cachés au fond de la rivière. C'est près de l'eau que Siddharta devint un être *réalisé,* le Bouddha.

De tout temps, l'homme a cherché à percer les mystères de la vie, et l'eau est le plus grand de ces mystères. J'ai conçu ce petit livre afin de vous faire prendre conscience d'un outil de guérison des plus puissants qui sort tout droit de votre robinet et qui est toujours disponible.

La santé, c'est votre bien le plus précieux. La préservation de ce trésor est un processus continu qui ne peut se contenter d'un examen de routine annuel. Le médecin pourra vous renseigner sur la bonne condition de vos différents organes, mais que perçoit-il de vos émotions? Que connaît-il de votre esprit? Grâce à l'eau, vous parvenez à entrer en rapport avec votre esprit. Lorsque ce dernier est en paix, le corps et le mental retrouvent leur harmonie.

Pour expérimenter la vie à fond, il faut laisser son esprit prendre son envol; or, quand l'esprit est entravé par l'accablement ou la mélancolie, il faut tenter de le raviver. C'est ce que peuvent faire les bains grâce à la magie de l'eau, à ses vertus thérapeutiques et vivifiantes. Nous savons tous que l'absence d'eau entraîne la sécheresse, la maladie et la famine, menaçant ainsi notre bien-être et celui de nos voisins sur la planète.

Nous allons donc entreprendre une aventure de tendresse affectueuse envers nous-mêmes. En nous aimant davantage, en prenant bien soin de nous-mêmes, nous pouvons faire du monde un endroit un peu meilleur. Ce sont les petites choses qui comptent. Un bon bain qui calme et qui guérit ne demande ni beaucoup de temps ni beaucoup d'efforts, mais ô combien il rapporte!

Une brève histoire du bain

Un bain aromatique et un massage parfumé
chaque jour, voilà la voie de la santé.
Hippocrate

Depuis les temps anciens, on a toujours considéré les bains comme indispensables à la santé émotionnelle et physique. Hippocrate savait qu'une bonne santé requérait à la fois un corps sain et un esprit sain. Déjà, 4 000 ans avant Jésus-Christ, les Égyptiens avaient recours au bain pour guérir l'esprit et ils croyaient aux vertus magiques de certains bains aromatiques sur le corps physique.

Ils ont découvert que les parfums pouvaient avoir des effets importants sur les états émotionnels et mentaux d'une personne. Grands amateurs de bains, les Égyptiens faisaient une grande utilisation d'huiles parfumées afin de traiter les corps physique et psychique.

Le *kyphi* était l'opium des masses; employé sous forme de parfum liquide, il était reconnu pour son pouvoir d'induire des visions spirituelles. Le grand historien grec Plutarque disait du *kyphi* : «Ses substances aromatiques apportent le sommeil, apaisent l'anxiété, égayent les songes. Il est composé d'ingrédients qui libèrent leur magie surtout la nuit.» On croit généralement que le *kyphi* fut le premier parfum au monde. C'est dans la tombe de

Toutânkhamon que fut découverte la seule bouteille qui en ait subsisté. Même après 3 300 ans, la trace de l'odeur était toujours perceptible.

Les parfums égyptiens étaient aussi en vogue dans la Grèce antique que les parfums français dans le monde d'aujourd'hui. Or, même si ce sont les Égyptiens qui ont mis au point la fabrication des huiles aromatiques pour enduire le corps et parfumer le bain, ce sont les Grecs et les Romains qui en ont fait un art consommé. Caligula dépensait des fortunes en bains parfumés parce qu'il les croyait seuls capables de restaurer un corps épuisé par des excès de luxure.

Avant l'avènement de la médecine hautement perfectionnée que nous connaissons aujourd'hui, les gens assumaient volontiers leur propre santé et leur propre guérison. L'instinct des peuples primitifs était très proche de la nature. De même que les animaux sauvages se dirigeaient instinctivement vers les plantes qui pouvaient les guérir, de même les humains savaient-ils appliquer leurs ressources intuitives intérieures à découvrir des moyens naturels de se guérir.

Les civilisations anciennes avaient toutes une connaissance approfondie des herbes, des techniques de massage et de balnéothérapie qui entretenaient la santé.

Au faîte de la civilisation gréco-romaine, les thermes étaient célèbres pour leur splendeur et leur élégance majestueuse. Ces magnifiques établissements de bains publics étaient conçus et exécutés par les meilleurs artisans. Incrustés de pierres et de métaux précieux, ils abritaient de grandes œuvres d'art, parfois commandes, parfois butin de guerres. On y trouvait toujours des statues d'Hercule, dieu de la force, et d'Hygie, déesse de la santé. Ils étaient les gardiens cosmiques des rites du bain.

Pour les guerriers, le bain ne représentait ni un luxe ni un plaisir : il était un moyen d'acquérir une bonne santé et d'obtenir la force physique. Aussi, le bain faisait-il partie intégrante de l'entraînement rigoureux d'un guerrier, le préparant pour les batailles à venir.

Chaque ville avait ses thermes. Les habitants s'y rendaient quotidiennement. On y trouvait des salles de lecture, des galeries, des salles de massage; le tout, entretenu aux frais de l'État.

Hippocrate a écrit dans ses aphorismes que «les bains aromatiques sont utiles dans le traitement des troubles féminins». Et parce qu'il croyait qu'on devait soigner les patients en leur infligeant le moins d'inconfort possible, on l'a surnommé le Père de la médecine holiste. Il préconisait l'utilisation du massage, de la musique et du parfum comme facteurs d'apaisement et de guérison. Il voyait aussi des vertus curatives dans le fait de prendre un bain en buvant du vin. Il va sans dire que cette combinaison laisse entrevoir de délicieuses possibilités pour le soulagement simultané du corps et de l'esprit.

Aujourd'hui, nous commençons à redécouvrir ces plaisirs d'un autre âge. *La magie de l'eau* vous servira de guide dans un merveilleux voyage de guérison du mental, du corps et de l'esprit.

Les moments de paix aménagés dans une vie pleine de tensions jouent un rôle important dans l'état de bien-être général. Nous vous invitons donc à entrer en vous-même pour y créer un climat de solitude paisible qui vous disposera au voyage qui s'en vient. Que votre esprit soit votre guide; que la relaxation, le rajeunissement et le plaisir le plus pur soient vos seuls objectifs.

Quelques conseils avant de commencer

En poursuivant votre lecture, vous remarquerez parfois des ingrédients qui vous paraîtront plutôt exotiques. Vous trouverez donc, à la fin du livre, une liste de ressources qui vous permettra de trouver même de la cendre volcanique. Or, fort heureusement, vous devriez pouvoir trouver presque tout ce dont vous aurez besoin à l'épicerie du coin ou dans les magasins de produits naturels les plus près de chez vous.

COMMENT UTILISER LES INGRÉDIENTS DES RECETTES DE BAINS

Les huiles : Pour tous les bains qui demandent des huiles essentielles, vous pouvez employer ces dernières seules ou les mélanger à de l'huile végétale, du miel ou de la crème. Un bain au-miel-et-à-la-crème offre les avantages supplémentaires de nourrir la peau et de la rendre plus soyeuse. Les huiles essentielles ne se dissolvent pas toujours facilement dans l'eau; toutefois, mélangées à de l'huile végétale, du miel ou de la crème, elles se disperseront plus uniformément et seront mieux absorbées par la peau. Ne versez jamais les huiles dans le bain avant d'y avoir été vous-même assez longtemps pour avoir réglé la température à votre goût. Si vous versez les huiles essentielles directement sous l'eau du robinet, elles auront tendance à s'évaporer très rapidement.

Les élixirs floraux du Dr Bach : Il s'agit de préparations naturelles à base d'essences thérapeutiques extraites de plantes et d'arbustes à fleurs, qui se dissolvent facilement dans l'eau. Elles furent découvertes, élaborées et testées en Angleterre, il y a plus de soixante ans, par un médecin et homme de science de renom, le Dr Edward Bach. À l'instar des huiles, vous mettez les gouttes d'élixirs floraux de Bach une fois que la baignoire est pleine, et vous agitez l'eau doucement avec la main afin de les disperser uniformément.

Les préparations homéopathiques : Ce sont les préparations sous forme de granules qui sont recommandées dans le présent ouvrage. Ces derniers se dissolvent rapidement dans l'eau chaude.

Herbes, épices et fleurs : Chaque fois qu'il est question de l'«infusion» d'un ingrédient, voici ce qu'il faut faire : faites bouillir de l'eau dans une casserole, sur la cuisinière; mettez-y les ingrédients délicatement et laissez-les mijoter doucement pendant vingt minutes; l'eau ne doit plus bouillir. Vous pouvez alors verser le contenu de la casserole dans la baignoire remplie d'eau. Mise en garde : n'infusez jamais les herbes, les épices ou les fleurs dans une casserole en aluminium. N'utilisez que des contenants en céramique, en verre ou en métal inoxydable, afin de ne pas altérer la valeur thérapeutique de la préparation.

Pour faciliter l'achat
des différents ingrédients requis,
vous trouverez à la page 189 un
Guide de ressources et d'achats.

PREMIÈRE PARTIE

DES BAINS QUI APAISENT LES ÉMOTIONS

Retour de l'équilibre grâce au bain

Tout ce qui fait partie de notre environnement possède une force, une énergie invisible qui l'entoure et l'anime. Lorsque notre propre champ énergétique entre en contact avec celui d'une autre personne, nous nous en trouvons affectés malgré nous. Sachant cela, il faut cultiver l'art délicat de la discrimination afin de défendre, de protéger cette précieuse énergie vitale qui est la nôtre. Savoir discriminer constitue un exercice d'équilibre très subtil. Lorsqu'il est pratiqué avec adresse et intelligence, il nous permet de choisir des énergies compatibles, c'est-à-dire celles qui accroîtront notre énergie personnelle plutôt que de l'amoindrir.

Lorsque vous vous sentirez un peu déséquilibré parce que votre énergie aura subi l'«assaut» d'une force incompatible, le bain se révélera d'une efficacité étonnante pour vous apaiser et vous rendre votre équilibre. Y a-t-il au monde un son plus réconfortant que celui de la pluie sur une vitre? Dès que se fait entendre le léger bruit des gouttelettes, la vie semble ralentir, comme de son propre gré. Il en est de même lorsqu'on se tient debout sous une cascade d'eau et que tous les soucis et les tensions disparaissent comme par magie. La pluie et les cascades sont reconnues pour leur propriété naturelle de nettoyer le champ «aurique» (ou champ d'énergie) d'une personne. Heureusement pour nous, le bain produit le même effet. Ainsi, les vertus thérapeutiques de l'eau peuvent apaiser vos anxiétés et vous transporter dans un état de relaxation profonde.

Je vous offre ma collection personnelle de recettes de bains. Ces derniers feront merveille sur votre sentiment de bien-être. Plusieurs comportent des herbes et des fleurs qui, tout au long des siècles, ont fait la preuve qu'elles pouvaient détendre le mental et guérir l'esprit.

Méditation de circonstance

Cette méditation peut servir pour tous les bains qui apaisent les émotions

Une fois bien immergé dans le bain, fermez les yeux doucement et laissez votre attention se concentrer sur votre respiration. Prenez dix grandes respirations, puis laissez votre esprit se détendre. Ensuite, prenez quelques instants pour vous souvenir de ce temps lointain où vous étiez un jeune enfant tout à fait *libre*. C'était une époque sans souci, dans l'ignorance heureuse des grands problèmes du monde. Peut-être vous voyez-vous en train de jouer au bord de la mer, de faire de la bicyclette ou de rigoler avec votre meilleur(e) ami(e)? Concentrez-vous sur ce moment; essayez de ressentir exactement ce que vous ressentiez alors. Vous aviez le corps souple et sans entraves, l'esprit léger. Le rire jaillissait spontanément de vous comme d'une fontaine intérieure. Vous étiez tout entier à votre bonheur.

Laissez-vous glisser totalement vers le passé jusqu'à ce moment précis, comme si vous étiez suspendu dans le temps et que rien d'autre n'existait. *Ressentez* votre joie, l'amour spontané et confiant au fond de votre cœur; et imaginez que la vie soit *toujours* ainsi. Détendez-vous dans ce moment. Laissez les images rajeunir votre esprit jusqu'à ce que vous puissiez vous voir libre et heureux. Imaginez tous les obstacles disparaissant comme brume au soleil. Ils ne peuvent s'accrocher à vous, car vous êtes un esprit libre que rien ne peut empêcher de prendre joyeusement son envol vers le ciel.

Maintenant, laissez-vous emporter jusqu'à votre lieu de recueillement préféré dans la nature. Imaginez que votre ange gardien ou vos guides spirituels y sont avec vous. *Ressentez* leur amour et leur protection. Laissez-les vous nourrir et prendre soin de vous; laissez vos émotions négatives se dissoudre dans leur présence affectueuse.

Vous avez le pouvoir de transformer votre vie selon les images de vos rêves les plus chers – votre imagination n'a pas de limites. Commencez donc à imaginer la vie parfaite que vous désirez, et laissez-vous aller pour voir jusqu'où votre esprit supérieur vous conduira!

APERÇU DES
BAINS QUI APAISENT LES ÉMOTIONS

Bain pour dormir comme un bébé

* Idéal lorsque vous êtes surexcité après
une journée trépidante

Bain pour cadre surmené

* Contre le stress, l'insomnie et l'hypertension.
Rétablit l'équilibre et l'harmonie

Bain de mer reconstituant

* Repose, revivifie et restaure l'énergie

Bain qui ouvre le cœur

* Aide à apaiser les chagrins d'amour et à
raviver le sentiment amoureux

Bain qui rétablit l'équilibre émotionnel

* D'un grand réconfort, ce bain guérit
les cœurs blessés

Bain pour dormir comme un bébé

Procure un sommeil reposant

Pourquoi Lorsque vous êtes rompu de fatigue tout en vous sentant surexcité, voici une façon toute simple de vous relaxer et de vous assurer un sommeil reposant. Les préparatifs de ce bain pourront vous paraître trop élaborés pour une personne exténuée, mais sachez que le rituel de la préparation fait lui-même partie du processus de relaxation.

1 poignée de fleurs de camomille
2 sachets de camomille
Encens de santal (facultatif)
Bougies (facultatif)
1 litre d'eau

Facultatif
8 à 10 granules homéopathiques de camomille 30x dans l'eau du bain

Comment Commencez par infuser les fleurs de camomille dans un litre d'eau pendant vingt minutes (selon la méthode donnée précédemment). Pendant cette période, recouvrez-vous les cheveux d'une serviette et respirez l'arôme apaisant de la vapeur de camomille au-dessus de la casserole. Ensuite, filtrez le liquide et versez-le dans l'eau du bain. Avec les 2 sachets de camomille, faites-vous une tisane que vous boirez à petites gorgées en prenant votre bain. Ne l'infusez que légèrement et conservez les sachets.

Une fois dans le bain, mettez une musique de relaxation que vous aimez. Allumez les bougies de même que votre encens préféré. Fermez les yeux et posez sur chacun un sachet de camomille encore chaud. Maintenant, laissez-vous emporter en imagination jusqu'à une plage au bord de la mer où vous êtes étendu confortablement sur le sable. Le soleil vous réchauffe le corps tout doucement. Écoutez le bruit des vagues qui viennent se briser sur la plage. Laissez-vous aller doucement, tout doucement...

Quand vous êtes particulièrement las et stressé, la *respiration* consciente peut vous être d'un grand secours. Voici un exercice tout simple à faire dans le bain : soyez conscient de chaque inspiration et de chaque expiration et, en même temps, portez votre attention sur vos gros orteils. Le gros orteil est l'un des points réflexes du corps correspondant à la tête. D'après les yogis, l'énergie entre par la tête et ressort par les pieds. Cet exercice constitue donc une excellente façon de faire «sortir» toutes vos tensions et de calmer votre esprit. (Vous pouvez également faire cet exercice au lit.)

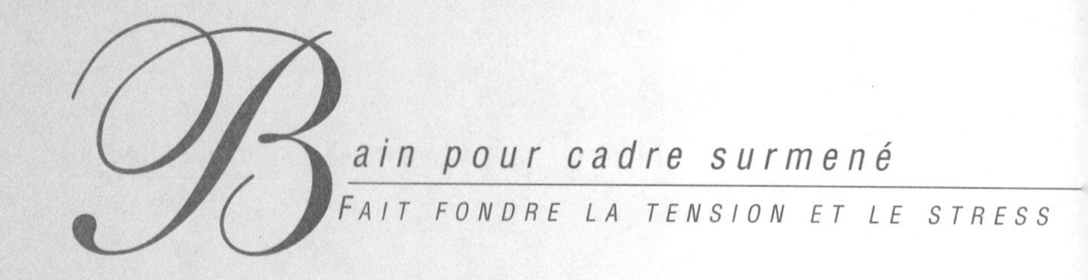

Bain pour cadre surmené

Fait fondre la tension et le stress

Pourquoi Ce bain est recommandé contre le stress, l'hypertension et l'insomnie. Il calme l'esprit et rajeunit le cœur. Mettant à profit une odeur agréablement masculine, il fait merveille pour les muscles fatigués, raidis ou surmenés.

Chez les Grecs et les Romains, on utilisait la lavande pour calmer les animaux sauvages. Or, elle a aussi certains effets sur les humains : elle calme les pulsions agressives, détend le corps et l'esprit, et incite au sommeil. La lavande favorise la tranquillité de l'esprit, aussi permet-elle aux hyperémotifs de se maîtriser en rétablissant la communication entre leur esprit conscient, leurs actions et leur cœur. La marjolaine, pour sa part, est excellente contre les troubles cardiaques. On croit d'ailleurs depuis l'époque romaine que l'odeur de la marjolaine favorise la longévité. Mais ne prenez pas ce bain si vous comptez faire l'amour immédiatement après : il est beaucoup trop relaxant!

5 gouttes de marjolaine (N.B. Il ne faut pas abuser de la marjolaine : elle est très sédative et peut causer de la somnolence. Les femmes enceintes ne devraient jamais l'utiliser.)
10 gouttes de lavande

Comment Verser les ingrédients dans une baignoire remplie d'eau chaude. Laissez-vous tremper pendant une vingtaine de minutes. N'oubliez pas de débrancher le téléphone et de mettre votre musique de relaxation préférée sur votre chaîne stéréo.

Essayez de calmer votre mental en vous concentrant sur votre respiration. Soyez conscient de chaque inspiration et de chaque expiration. Lorsque vous commencez à vous détendre, prenez conscience des battements de votre cœur; voyez comment il restaure l'énergie du corps par son rythme puissant et vigoureux. Puis, mentalement, détendez le reste de votre corps et chassez toute pensée ayant trait au bureau et au stress.

Il s'agit là d'une excellente façon de se remettre d'une journée particulièrement éprouvante. En vous faisant le cadeau de la tranquillité, vous vous fortifiez en vue d'un retour éventuel dans l'arène.

Vous pouvez aussi essayer l'exercice suivant :

Si vous avez une réunion le lendemain, imaginez-vous à l'endroit où doit avoir lieu cette réunion. (Si vous n'y êtes jamais allé, imaginez-le.) Visualisez ensuite l'aboutissement idéal de cette réunion et *non pas le règlement minimum que vous consentiriez à accepter!* Ressentez quel devrait être le meilleur comportement de vos associés et de vous-même au cours de la réunion, comme si celle-ci avait lieu dès maintenant.

Imaginez tout adversaire éventuel ouvert et réceptif à vos idées. Lorsque vous visualisez le lieu de la réunion, imaginez que l'énergie ambiante y est positive, harmonieuse et pure, et que tous les acteurs présents s'en retournent satisfaits et heureux. Effacez tous les blocages appréhendés, puis détendez-vous et laissez-vous aller.

Par le troisième œil[1], voyez les résultats *exacts* que vous souhaitez obtenir; que vos désirs soient en harmonie totale avec toutes les personnes concernées.

---

1. Chez les mystiques, bouddhistes, Hindous et autres, point situé entre les sourcils et un peu au-dessus d'eux par lequel il est possible de voir au-delà des sens ordinaires.

Méditez sur la paix.
Faites le calme à l'intérieur de vous.
Laissez le mental entrer doucement dans le silence
Vous pourriez aussi répéter ce qui suit :

AFFIRMATION

Je suis en paix.

Pour atteindre tous mes buts, je crois en moi et je crois en l'Univers.

J'ai foi en ma réussite (ou en ma capacité d'attirer à moi les circonstances qui contribueront à mon bien). Au plus profond de moi, je vois l'accomplissement de tous mes rêves.

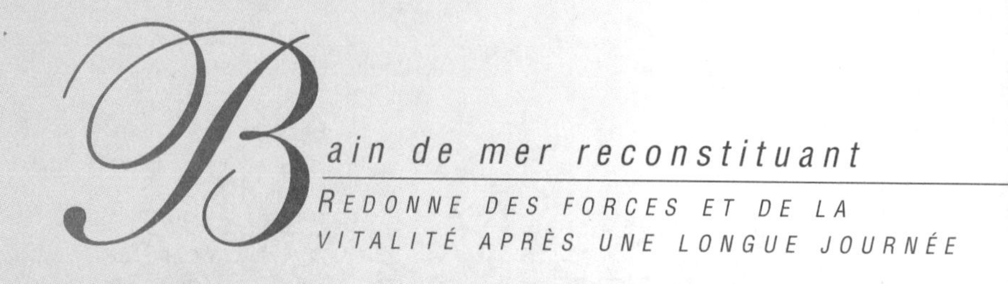

Bain de mer reconstituant

Redonne des forces et de la vitalité après une longue journée

Pourquoi Aphrodite, déesse de l'amour et de la beauté, est née dans l'océan, émergeant de l'écume de la mer dans un grand coquillage, symbole de la sensualité féminine.

À l'instar d'une baignade dans l'océan, ce bain tonifie, repose et revivifie le corps. La mer évoque la vie qui naît et c'est dans la mer que la plupart des civilisations ont situé l'origine de toute vie. Ainsi, depuis toujours, on se rend à la mer pour se sentir jeune et bien vivant, car la mer a une merveilleuse propriété, celle de guérir et de rajeunir le corps et l'esprit.

Les grandes masses d'eau sont entourées d'un champ électromagnétique hautement chargé produisant des ions négatifs, ce qui accroît le sentiment de bien-être. Voici donc la meilleure façon de recréer les propriétés régénératrices de la mer dans votre propre demeure.

1/2 à 1 kg de sel de mer
Brosse pour le corps ou luffa

COMMENT

L'eau du bain ne devrait pas être trop chaude, car l'eau trop chaude peut fatiguer. Trouvez une température agréable, ajoutez le sel et immergez-vous de dix à trente minutes. Puis, à l'aide d'une brosse ou d'un luffa, massez-vous le corps avec des mouvements ascendants, en commençant par les pieds et en remontant jusqu'à la tête. Vous vous sentirez merveilleusement revigoré.

FACULTATIF

Après le bain, vous pouvez vous rincer rapidement sous une douche froide. Combinée à l'action du sel et du massage, cette douche régénère et ravive l'énergie.

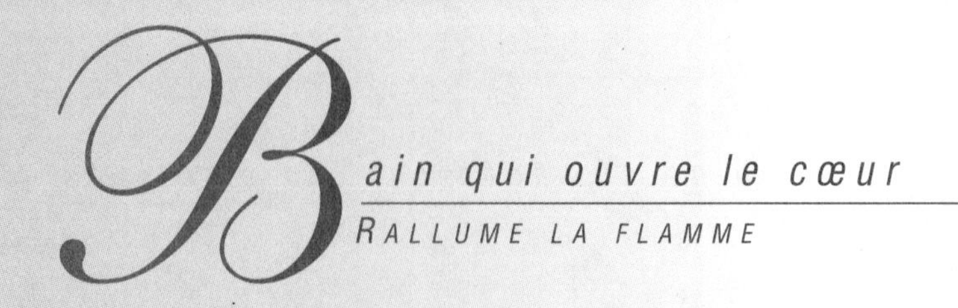

Bain qui ouvre le cœur

Rallume la flamme

POURQUOI Ce bain est tout indiqué lorsque vous sentez que votre cœur est fermé à double tour, condamné, abandonné (surtout par l'être cher), mais qu'il est temps qu'il s'ouvre de nouveau à l'amour.

7 gouttes d'huile essentielle de rose – Dans de nombreuses cultures et depuis des siècles, la rose a symbolisé l'amour. Son seul parfum fait naître au cœur un sentiment d'amour et réconforte dans les moments d'abattement.

3 gouttes d'huile essentielle de muguet – Le muguet renforce le cœur et les émotions et permet d'accueillir l'amour sans se sentir vulnérable.

FACULTATIF

Huile de coco. Si vous mélangez les huiles essentielles de rose et de muguet dans une base d'huile de coco, votre peau sera toujours douce et soyeuse. C'est ce que je fais moi-même depuis quinze ans et on me fait souvent des commentaires sur la douceur de ma peau.

Fleurs fraîches

Bougies de couleur rose ou bleu-vert

Musique édifiante

COMMENT Pour ce bain, je suggère de créer une atmosphère toute de beauté avec de jolies fleurs odorantes, des bougies de couleur rose ou bleu-vert et de la musique édifiante, telle que *Rhapsody in Blue* de George Gershwin.

Une fois dans le bain, laissez vos sens vous parler. Humez le parfum des fleurs et laissez-le pénétrer votre être tout entier. Imaginez qu'il circule à l'intérieur de votre corps, irradiant depuis le cœur et que vous êtes complètement empli de son essence. Écoutez la musique avec attention, vous laissant imprégner par les impressions qu'elle suscite.

AFFIRMATION

À partir de maintenant, c'est avec joie et sans aucune condition que j'accueille l'amour dans ma vie.

Je m'en remets aux pouvoirs de l'amour.

Exercez-vous à être dans le moment présent. Ressentez la chaleur dans vos orteils, sentez les muscles de vos pieds qui se détendent; prenez conscience de l'état de repos des différentes parties du corps. Oubliez le passé et l'avenir. Inspirez dans l'instant présent. Laissez les huiles odorantes opérer leur magie. Bientôt, votre foi dans la vie et dans l'amour vous sera rendue.

Le fait de porter un cristal de tourmaline rose sur votre cœur aidera à dissiper les peines qui s'y sont logées.

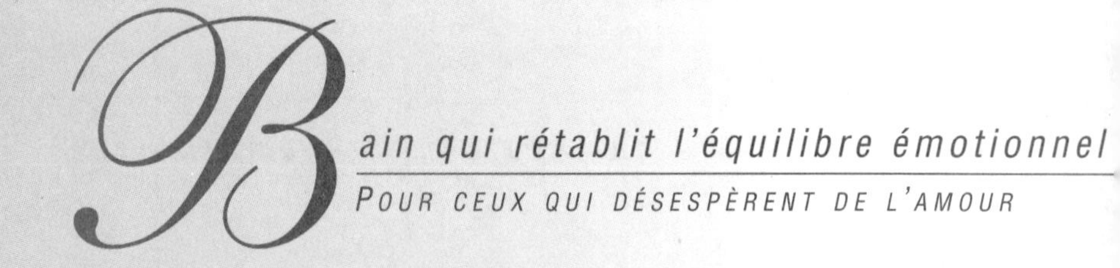

Bain qui rétablit l'équilibre émotionnel

Pour ceux qui désespèrent de l'amour

Pourquoi Lorsqu'il y a problèmes de cœur, ce bain apporte soulagement et détente. Si vous êtes accablé par un gros chagrin et que vous vous sentez désarmé, voilà un bain qui saura soulager en profondeur un système nerveux à plat.

5 gouttes d'huile essentielle de rose
5 gouttes d'huile essentielle de muguet
5 gouttes d'huile essentielle de santal
5 gouttes d'huile essentielle de romarin
Bougies

Comment Voilà une combinaison magique. La rose ouvre le cœur et vous sort d'un état dépressif, alors que le muguet le fortifie sur les plans physique et émotionnel. Vous pouvez d'ailleurs porter ces deux essences en guise de parfum en ces jours tristes où vous avez le cafard. Le santal calme le système nerveux et aide le corps entier à se détendre. (Il est aussi, d'après les Anciens, le seul encens qui plaît à tous les dieux.) Quant au romarin, on l'a utilisé au cours des siècles dans de nombreuses pratiques rituelles ayant pour objectif d'attirer l'amour. Il est réputé pour être un stimulant de l'amour.

Avant de préparer le bain, allumez quelques bougies et débranchez le téléphone. Vous pouvez même accrocher une affiche «Prière de ne pas déranger» sur la porte. Une fois immergé dans le bain, concentrez-vous sur votre respiration et pratiquez la «Méditation de circonstance».

Soyez conscient de votre corps et de votre respiration. Sentez l'expansion de votre cœur. Imaginez qu'il y a un bouton de rose de grand prix au milieu de votre poitrine. En utilisant votre imagination, regardez-le s'ouvrir et se déployer tout doucement, baignant votre être entier d'une lumière rose remplie d'amour. Sentez que cette lumière rose guérit vos émotions et régénère votre esprit.

Pendant que vous êtes dans le bain, respirez l'odeur du romarin en vous répétant ce qui suit : «Ma relation avec _____ est empreinte de compréhension, de confiance et d'harmonie.» Alors que vous êtes encore tout plein de la lumière de votre bouton de rose intérieur, voyez les troubles affectant votre relation se dissoudre et faire place à des sentiments chaleureux de compréhension, de compassion et d'amour. Cet amour peut s'adresser à un partenaire, un parent, un enfant ou un ami.

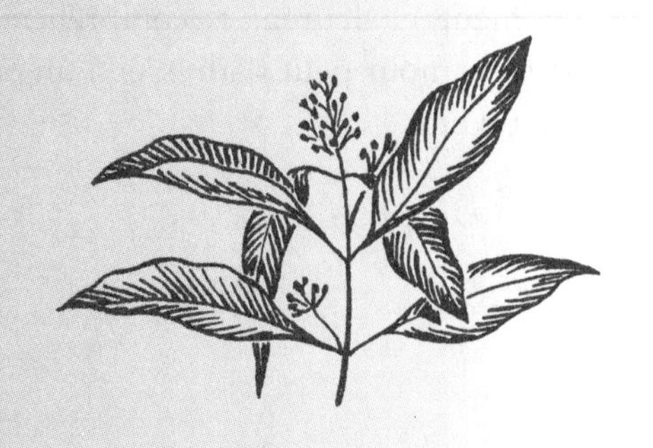

LISTE D'EMPLETTES POUR LES BAINS QUI APAISENT LES ÉMOTIONS

Il serait bon de toujours avoir ce qui suit sous la main, afin d'être prêt lorsque vous aurez besoin de refaire le plein sur le plan émotionnel.

BOUTIQUE DE PRODUITS NATURELS

Bougies
Brosse pour le corps, luffa ou éponge naturelle
Camomille (fleurs séchées)
Camomille en sachets
Encens (celui que vous préférez ou santal)
Granules homéopathiques de camomille 30x
Sel de mer

HUILES ESSENTIELLES

Lavande
Marjolaine
Muguet
Romarin
Rose

MUSIQUE

Musique à votre goût
Rhapsody in Blue de George Gershwin

DEUXIÈME PARTIE

BAINS HOMÉOPATHIQUES

La loi des semblables

Un jour, en Allemagne, il y a de cela deux cents ans, un médecin aussi brillant que célèbre perdit sa fille de sept ans au cours d'une épidémie. Il s'appelait Samuel Hahnemann. Peiné et furieux de ce que la profession médicale ait échoué à sauver sa fille, il fit le vœu de ne plus jamais pratiquer la médecine avant d'avoir trouvé une méthode thérapeutique plus efficace.

Hahnemann maîtrisait dix-sept langues et put donc, pendant un certain temps, gagner sa vie en traduisant des textes médicaux de l'allemand vers d'autres langues et vice versa. Alors qu'il travaillait à un traité sur la malaria, il remarqua que lorsqu'une personne en bonne santé avalait de la quinine (remède spécifique contre la malaria), les symptômes qu'elle manifestait étaient à peu près identiques à ceux de la malaria elle-même. C'est à partir de cette perception intuitive qu'il émit l'hypothèse de *la guérison du semblable par le semblable.* Une substance produisant un mal de gorge pourrait, par exemple, servir à guérir un mal de gorge. C'est ce qu'il a appelé la «loi des semblables».

C'est par dizaines que les médecins et les étudiants qui aimaient et respectaient le Dr Hahnemann acceptèrent de l'aider à monter des «preuves». Il s'agissait d'expérimenter avec le plus grand nombre de substances possible afin d'établir la validité de son hypothèse. Il se rendit compte, avec le temps, que la plus infime quantité d'une substance donnée contenait l'«énergie» de cette substance. Fondés sur cette découverte, les remèdes homéopathiques n'utilisent qu'une quantité infinitésimale de la substance «semblable», de telle sorte qu'ils sont sans danger, faciles à utiliser et peuvent être achetés sans ordonnance.

Des expériences récentes effectuées en France tendent à suggérer que le remède homéopathique pourrait, même à une dose infinitésimale, parvenir à modifier la structure moléculaire de l'eau, la chargeant, d'une manière qu'on ne saurait encore expliquer, d'une efficacité énergétique certaine.

Les élixirs floraux du Dr Bach

Il s'agit de remèdes à «énergie florale» qui reposent sur des symptômes de nature psychologique plutôt que physique. Ils ne sont donc pas prescrits à la manière des remèdes homéopathiques. C'est un bactériologiste et homéopathe anglais, le Dr Edward Bach, qui les a mis au point. Après avoir inventorié et classé, dans un système de son invention, trente-huit états émotionnels différents, il trouva ensuite des essences qui agissaient sur ces différents états en rétablissant, par leurs énergies subtiles, les déséquilibres sous-jacents.

De tous les élixirs floraux du Dr Bach, c'est le *Rescue Remedy*[1] (remède de secours ou remède d'urgence) qui est le mieux connu et le plus populaire. On l'emploie pour atténuer les chocs émotifs ressentis dans les situations d'urgence telles que les accidents, les incendies, ou toute autre circonstance provoquant une tension extrême. Le *Rescue Remedy* aide à rétablir l'équilibre énergétique d'une personne (il ne doit toutefois pas servir de substitut lorsque des soins médicaux sont nécessaires). Pour ma part, j'ai employé le *Rescue Remedy* lors de courses périlleuses en taxi dans les rues de New York, ou sur des routes dangereusement glissantes, en plein blizzard, dans le nord de l'État du même nom.

1. Nous utiliserons en priorité l'appellation anglaise des élixirs floraux du Dr Bach, car c'est sous ce nom qu'ils sont habituellement vendus et utilisés à travers le monde. (N.d.T.)

Méditation de guérison

Comment se libérer de comportements répétitifs qui empêchent d'avancer

Il faut avant tout répondre à la question suivante : «Est-ce que je veux vraiment me guérir de ce comportement nocif, de cette dépendance?»

Tous ceux qui souffrent d'une dépendance – et quel que soit l'objet de celle-ci : drogue, alcool, tabac ou café – trouvent un certain plaisir dans le refoulement et la souffrance qu'elle comporte, dans le blocage de leurs énergies. En effet, toutes ces habitudes négatives ont pour conséquence de bloquer notre champ d'énergie. Mais les dépendances ont aussi une cause commune sous-jacente : la peur, la peur de ce qui surviendra si nous nous laissons aller à l'expansion de nous-mêmes. Lorsque nous sommes ouverts et visibles, nous sommes aussi plus vulnérables; c'est pourquoi bien des personnes choisissent de rester fermées et demeurent dans l'ombre, évitant ainsi d'être blessées par la vie. Il est parfois plus facile de conserver des comportements négatifs que de risquer la souffrance que pourrait causer leur abandon.

Pour avancer, il faut du *courage;* et ce courage, il faut le trouver à l'intérieur de soi. Partir à sa découverte, c'est amorcer un processus de découverte de soi-même. Demandez-vous : «Où est mon courage? Où se situe-t-il à l'intérieur de moi? Où est-il rendu? Pourquoi aurait-il diminué?» Les réponses qui surgiront pourraient vous surprendre. Il faut avoir le courage d'aller au-delà de la peur.

Pensez au courage du soldat, du guerrier qui risque sa vie pour parvenir à la victoire. C'est ce genre de courage qu'il faut retrouver en vous-même. Quelle belle occasion d'invoquer la Source la plus élevée, Dieu, ou toute autre divinité, prophète ou saint que vous vénérez. Demandez-lui de vous rendre votre courage.

AFFIRMATION

Lorsque vous désirez mettre fin à une mauvaise habitude, réclamez du courage :

Dieu, faites que je sois assez fort.
Faites que je sois sans peur.
De grâce, donnez-moi le courage de réaliser mon but.

Visualisez ensuite la réalisation de ce but : la création d'une belle relation amoureuse; l'obtention d'une rémunération juste, correspondant aux efforts investis, de façon à ne pas vous sentir souspayé, ni exploité; la capacité de choisir un patron qui saura percevoir et faire ressortir votre plein potentiel. Il faut du courage pour avancer dans la vie et dans le monde, et pour y vivre des expériences plus profondes. Or, pour vivre la vie plus à fond, il faut aussi de la passion.

Connaissez-vous des gens qui sont tout à fait dépourvus de passion? Ils ont l'air stoïque et leurs interactions avec la vie semblent très limitées. Leurs croyances sont très restrictives et ils vivent leur vie selon des règles très étroites. Bref, ils sont dénués de passion.

Créez à présent dans votre esprit l'image d'un peintre ou d'un artiste qui, à l'instar de Dali ou de Van Gogh, agirait selon sa passion et son imagination jusque dans les plus petits gestes de sa vie. Certains créateurs ont même porté leur passion jusqu'à la folie. Ce que vous voulez capter, c'est la ferveur, la liberté, la spontanéité qui sont l'essence même de la créativité.

Quand vous pourrez vous en remettre à cette *essence* et vous accorder la liberté de suivre votre passion, vous accomplirez tout ce que vous voudrez dans la vie.

APERÇU DES
BAINS HOMÉOPATHIQUES

Bain pour corps meurtri

* Arnica contre les meurtrissures
et les douleurs physiques

Bain pour douleur émotionnelle

* *Rescue Remedy* contre les traumatismes
et les bouleversements émotionnels

Bain pour nettoyer le cœur

* *Crab Apple* pour épurer les émotions

Bain pour vivre ici et maintenant

* Pour se libérer des liens émotionnels
avec le passé

Bain pour se mettre en branle

* *Chestnut Bud* pour cesser de tournicoter
et permettre à l'énergie de circuler

Bain pour corps meurtri

À L'ARNICA, CONTRE LES MEURTRISSURES ET LES DOULEURS PHYSIQUES

POURQUOI Remède de base de l'homéopathie, l'arnica est utilisée avec succès contre les foulures, les meurtrissures, la douleur et les muscles endoloris. Elle calme à peu près tous les traumatismes physiques, de l'accident jusqu'à la visite chez le dentiste. Elle accélère le processus de guérison, réduit l'enflure des ecchymoses, des bosses et des entorses.

8-10 granules d'arnica 30x
dissous dans l'eau du bain

COMMENT Laissez-vous tremper de dix à trente minutes, selon vos besoins. Essayez de vous détendre le plus possible. L'effet de ce bain prend un certain temps avant de se faire sentir et il se peut que ses effets les plus importants se fassent sentir quelques heures seulement *après* le bain. Cependant, il y aura tout de même un soulagement instantané à cause de l'eau chaude.

On peut prendre ce bain à maintes reprises (jusqu'à trois fois par jour), jusqu'à ce que le trouble disparaisse. Il ne faut pas sous-estimer l'action subtile de l'arnica – son pouvoir de guérison est très grand et constant.

Selon la nature et la gravité de la blessure, les médecins homéopathes prescrivent souvent ce remède sous forme de granules à prendre oralement. Vous pouvez sans danger prendre quelques granules d'arnica deux à trois fois par jour, sans prendre de bain. Mais n'oubliez pas le pouvoir de votre esprit dans le processus de guérison. *Visualisez-vous guéri!*

J'ai recommandé ce bain à un ami déménageur. Il avait toujours mal au dos à cause des poids importants qu'il devait sans cesse soulever. Il l'appelle son «bain miraculeux» depuis qu'il n'a plus à vivre avec des douleurs chroniques. Après une dure journée, il sait maintenant quoi faire.

ain pour douleur émotionnelle

RESCUE REMEDY (REMÈDE DE SECOURS) CONTRE LES TRAUMATISMES ET LES BOULEVERSEMENTS ÉMOTIONNELS

POURQUOI

Ce bain s'avère inestimable dans les états de choc et de traumatismes. Qu'il s'agisse d'accidents physiques ou de traumatismes émotionnels, il pourra vous calmer et vous faire retrouver votre équilibre. C'est un bain qui agit avec efficacité, quel que soit l'âge de la personne, bébé ou vieillard. Calmant, rassurant et thérapeutique, il constitue un outil efficace pour traiter les états de choc, mais il agit tout en douceur. Vous devriez toujours avoir le *Rescue Remedy* sous la main.

10 gouttes de Rescue Remedy – 5 gouttes dans l'eau du bain et 5 gouttes dans un verre d'eau

COMMENT

Mettez 5 gouttes de *Rescue Remedy* dans la baignoire remplie d'eau chaude et restez-y aussi longtemps que nécessaire (entre dix et trente minutes). Pendant votre bain, sirotez un verre d'eau fraîche dans lequel vous aurez mis les 5 autres gouttes du remède. Vous serez surpris de la rapidité avec laquelle vous vous sentirez mieux.

Pour les soirées d'insomnie, quand vos soucis vous tiendront éveillé, ce bain fera merveille pour calmer votre anxiété. Apportez alors le verre d'eau contenant le remède dans votre chambre et prenez-en quelques gorgées chaque fois que vous vous réveillerez. Votre esprit ne tardera pas à s'apaiser.

Bain pour nettoyer le cœur

Avec Crab Apple (pomme sauvage) pour épurer les émotions

POURQUOI Sous forme d'élixir floral de Bach, cette essence est d'un grand réconfort pour ceux qui se sentent maltraités, malmenés, souillés. Elle convient parfaitement dans les moments où l'amour-propre et l'image de soi sont au plus bas. Elle aide à chasser les sentiments négatifs de l'espace intérieur, puis du champ «aurique».

À l'origine, on utilisait l'huile de pomme sauvage pour la purification et la consécration des autels dédiés à l'amour. Votre corps est votre temple; aussi, l'oindre avec de l'huile de pomme sauvage le purifie-t-il et le nettoie-t-il de toute souffrance, de tout traumatisme.

10 gouttes de l'élixir Crab Apple de Bach
Débarbouillette (carré-éponge)

COMMENT Emplir la baignoire d'eau chaude. Après avoir fermé le robinet, versez l'élixir de pomme sauvage et dispersez-le dans l'eau en faisant de grands tourbillons avec vos mains. Entrez doucement dans le bain puis détendez-vous. Mouillez la débarbouillette avec l'eau du bain, pliez-la, puis placez-la sur vos yeux.

Appliquez-vous maintenant à ressentir les émotions qui montent en vous. Au fur et à mesure que l'eau chaude apaise vos tensions, commencez à dresser une liste mentale de vos qualités. Ne vous attardez jamais sur un aspect négatif. Dès qu'une pensée négative surgit, faites-la disparaître d'un mouvement de la main dans l'eau qui vous entoure.

Imaginez que vous êtes dans un temple sacré sur une île au milieu de l'océan. Il fait un temps radieux, chaud et ensoleillé. Votre âme est réconfortée par le murmure paisible des vagues.

Dans la solennité de ce moment, rappelez un à un à votre mémoire les événements qui ont causé votre souffrance. Si vous avez été maltraité, si on a attenté à votre pudeur, tentez de joindre la partie de votre corps où vous avez *stocké* votre sentiment de culpabilité et votre honte.

En concentrant votre respiration sur ces endroits, libérez tout sentiment de responsabilité que vous auriez pu entretenir à l'égard de ces incidents. Puis, après avoir mobilisé toute la puissance de visualisation et de concentration dont vous soyez capable, pardonnez-vous et laissez ce passé se dissoudre totalement. Imaginez qu'il disparaît par la toute-puissance de la grâce divine qui habite votre temple sacré. *Laissez-le aller!*

Ensuite, délassez-vous un peu avant de vous reconnecter de tout cœur à votre bonté naturelle, à toutes ces belles qualités que vous aimez chez vous. S'il venait à surgir des pensées contradictoires, bannissez-les de votre esprit.

AFFIRMATION

Je suis un enfant pur et libre. Mon cœur me dirige vers ma destinée. Je suis en sécurité, je suis protégé. Un cercle de lumière m'entoure et m'unit à la bienveillance, à l'abondance et à l'amour de l'Univers.

Accomplissez le rituel de ce bain une fois par semaine jusqu'à ce que vous vous sentiez parfaitement guéri.

Bain pour vivre ici et maintenant

Pour se libérer des liens émotionnels avec le passé

Pourquoi Nous avons tous connu de ces moments où notre tête nous recommandait de nous détacher de quelqu'un, mais où notre cœur nous empêchait de le faire. Il pourrait s'agir d'une vieille relation amoureuse qui aurait mal tourné ou d'une relation actuelle qui se révélerait destructrice. Il arrive parfois que nous devions nous détacher d'une personne décédée ou de l'influence négative de nos parents. Le bain à l'élixir floral *Walnut* (noyer) vous aidera à défaire d'anciens liens et à libérer de l'espace pour en tisser de nouveaux. Au cours de toute l'histoire moderne, on a entouré le noyer de beaucoup de respect, à la fois pour sa beauté et pour ses fruits. C'est sous le noyer que les sorcières faisaient leur danse de la fertilité. À tous les niveaux de l'être, le noyer favorise le renouvellement. Il facilite le changement et la croissance, et on lui attribue des vertus thérapeutiques puissantes.

10 gouttes de l'élixir floral Walnut de Bach ou
6 noix bouillies pendant 3 heures dans une casserole (pas en aluminium). Commencer avec un litre d'eau et en ajouter au besoin.

Comment Il est important que vous sachiez qu'il faut prendre ce bain au sérieux. S'il est accompli correctement, il rompra tous les liens émotionnels qui vous rattachent à une autre personne. *Soyez bien certain que c'est cela que vous souhaitez réellement* et que c'est ce qui vous convient le mieux.

Ne prenez jamais ce bain sous le coup de la colère. Prenez-le par amour pour vous-même et pour amorcer votre processus de guérison. Pensez à la personne dont vous avez besoin de vous séparer et imaginez que vous la laissez aller afin qu'elle puisse réaliser son destin le plus élevé dans cette vie. Libérez-vous de toute souffrance et de toute colère. Voyez tous les liens, toutes les ficelles qui se rompent; imaginez-vous libre enfin d'aller à la recherche de l'amour et du bonheur véritables de votre vie.

Demeurez dans ce bain aussi longtemps que vous l'estimez nécessaire. Puis, au moment d'aller au lit, vous pouvez, si vous le désirez, prendre quelques gouttes de l'élixir *Walnut* dans un verre d'eau. Ce bain peut être répété jusqu'à ce que la relation soit vraiment rompue. Or, si vous constatez qu'il vous rend trop émotif, prenez-le moins souvent.

Pendant le bain, imaginez une noix et sa coquille, l'amande étant une graine. Imaginez-vous maintenant à l'intérieur de cette coquille, comme dans un utérus; dans la graine que vous êtes sont contenus tous les potentiels de votre vie, tous les rêves que vous pourriez réaliser.

En remontant dans le temps, retournez à la graine de votre propre vie, à cette graine qui contient toutes les possibilités. Il n'y a rien dans cette graine qui puisse faire obstacle à votre progression.

Retournez au tout début et imaginez tout ce qui pourrait enrichir votre vie sur tous les plans – bonheur, amour, réalisations créatrices, santé, relations harmonieuses, prospérité –, à la mesure de vos rêves les plus grands. Imaginez que se trouve à l'instant même dans cette graine tout ce que l'Univers met à la disposition des humains pour assurer leur développement. Imaginez que la graine prenne de la force et de l'expansion jusqu'à ce que sa coquille ne lui soit plus d'aucune utilité. Elle continue à croître à l'extérieur d'elle. Ressentez l'énergie de cette graine comme votre énergie propre s'étendant dans toutes les directions, comme les rayons d'une roue de bicyclette, comme les rayons d'une roue de vie, de votre vie. Voyez dans cette roue et dans les rayons de cette roue toutes vos réalisations futures, l'accomplissement total de vous-même.

Par cette expansion, vous effacez tout ce qui vous fait obstacle – les peurs, les souffrances, l'anxiété – et qui avait été programmé en vous depuis le début. Vous allez vous *reprogrammer* dans une conscience nouvelle, dans une vision non plus d'obscurité, mais de lumière. En vous délestant de votre passé, vous effacerez tous les coins sombres de votre vie en affirmant ce qui suit : «Je suis en train de renaître, je suis en train de *recréer* ma vie.»

Après ce bain, peut-être aurez-vous envie de noter dans votre journal intime tout ce qui surgira dans votre esprit à la suite de cette méditation. L'exercice pourrait consolider votre libération et réaffirmer vos rêves d'un avenir heureux.

Peut-être devriez-vous aussi noter les rêves qui pourraient survenir dans les jours qui suivront. Ayez toujours un crayon et du papier près de votre lit, au cas où votre subconscient vous renseignerait sur le succès de l'exercice ou vous donnerait d'autres messages tout aussi importants.

Bain pour se mettre en branle

Rétablit le flot de l'énergie

Pourquoi

Pour cesser de tourner à vide et sortir de l'ornière où vous êtes enlisé. Lorsque vous vous rendez compte que vous répétez sans cesse les mêmes erreurs dans la vie, vous êtes également assez avisé pour y mettre fin. Parmi les ornières les plus communes qui pourraient vous retarder dans votre progression, il y a l'amour, l'argent, les affaires, la carrière et la santé.

20 gouttes de l'élixir Chestnut Bud (bourgeon de marronnier blanc) de Bach

Comment

Ce bain libère le corps et la psyché des structures énergétiques figées qui vous ont toujours permis de vous fuir vous-même au lieu de faire face et de régler les problèmes de votre vie.

Pendant que vous trempez dans le bain à l'élixir *Chestnut Bud,* réfléchissez à un comportement négatif récurrent qui ferait actuellement partie de votre vie et qui vous empêcherait d'atteindre au bonheur et à la réalisation de vous-même. Imaginez ensuite que vous avez la perspicacité et la sagesse nécessaires pour transformer cette situation en toute lucidité et en toute franchise. À l'aide de votre vision intérieure, essayez de percevoir quel est l'appât qui vous fait «mordre à l'hameçon» et qui déclenche ce comportement. Puis, comme par magie, faites disparaître à tout jamais appât et hameçon.

Si vous tentez de venir à bout d'un problème très précis, prenez ce bain une fois ou deux par semaine jusqu'à ce qu'il se produise une véritable percée dans votre vie personnelle.

Liste d'emplettes pour les bains homéopathiques

Arnica – granules homéopathiques
Élixir floral *Chestnut Bud* du Dr Bach
(bourgeon de marronnier blanc)
Élixir floral *Crab Apple* du Dr Bach (pomme sauvage)
Élixir floral *Walnut* du Dr Bach (noyer) ou noix nature
Rescue Remedy du Dr Bach (remède de secours)

TROISIÈME PARTIE

BAINS THÉRAPEUTIQUES

L'accès au pouvoir intérieur

Peut-on réellement guérir un problème interne par le simple fait de se baigner dans une substance quelconque? Si cette idée vous semble farfelue, songez à l'efficacité des bains de sels d'Epsom dont les athlètes font usage depuis bien des générations pour soigner des foulures musculaires ou des ligaments étirés. Il ne faut pas oublier non plus les cataplasmes et les onguents qui ont soulagé nombre d'affections au cours des siècles. Bien qu'on les applique à l'extérieur du corps, c'est à l'intérieur de celui-ci que leurs résultats se font sentir.

D'ailleurs, ne considère-t-on pas la peau comme l'organe le plus important du corps humain? Puisqu'elle sert d'intermédiaire principal entre l'extérieur et les fonctions internes du corps, la moindre inhibition de ses fonctions respiratoire ou excrétoire peut même aller jusqu'à provoquer la mort d'une personne.

En France, les travaux de Maurice Messengue ont été reçus avec beaucoup d'intérêt. Botaniste et herboriste de renom, il a toujours utilisé les bains de pieds et les bains de mains pour soigner un ensemble impressionnant d'affections diverses chez toutes sortes de personnes, y compris des papes et des présidents.

Les pages qui suivent vous offrent un compendium de bains thérapeutiques puisés à d'innombrables sources, des loges de sudation amérindiennes aux eaux médicinales des grands établissements thermaux d'Europe, du chaudron magique des anciens druides aux cendres volcaniques des îles paradisiaques des mers du Sud. Chacun de ces bains pourra vous aider à guérir votre corps, tout en créant une ambiance qui contribuera à ranimer votre esprit par la même occasion.

Les bains présentés dans cette troisième partie vous aideront à vous brancher sur votre *pouvoir intérieur* pour avoir accès aux énergies supérieures qui, du plus profond de vous-même, sauront soulager vos souffrances et restaurer votre sentiment de bien-être. Ils ont fait leurs preuves.

Il est bien important de se rendre compte que lorsqu'il y a douleur ou maladie, *nous pouvons y faire quelque chose* sans avoir toujours recours à des ressources extérieures. Quand nous décidons de jouer un rôle actif dans le processus de guérison de nos maux, nous affirmons par le fait même notre ferme intention de restaurer la santé et l'équilibre de notre corps, de notre esprit et de notre âme.

Méditation de santé

Il importe de bien comprendre qu'il existe un lien entre maladie émotionnelle et maladie physique. Or, par leurs agissements, bien des gens affirment davantage la mort que la vie.

Quel est votre engagement personnel face à la vie? Jusqu'où êtes-vous prêt à aller pour vous sentir *bien vivant* – pour *vivre* pleinement la vie?

Bon nombre d'entre nous vivent leur vie comme s'ils étaient invalides et semblent développer de semaine en semaine soit un nouveau trouble, soit une nouvelle maladie. D'autres, par contre, affichent une santé parfaite, quelles que soient les circonstances.

La santé vient de l'engagement que nous prenons envers la vie, de notre aptitude à *aspirer* en nous la force de la vie, lui permettant de pénétrer notre corps, d'imprégner notre propre force vitale et d'accroître ainsi notre potentiel énergétique. Le souffle est un élément important pour la santé; il est relié au grand souffle de l'Univers. Lorsque vous ne vous sentez pas très bien, prenez conscience de votre respiration. Vous vous apercevrez qu'elle est plutôt faible, elle aussi. C'est d'ailleurs pour cette raison que bien des gens pratiquent le yoga et le taï chi; en effet, parce qu'elles favorisent la respiration consciente, ces disciplines ont la réputation d'accroître la longévité. Le maintien de la santé est donc une occupation de tous les instants, faite de conscience de soi, de discipline et de volonté.

Réfléchissez aussi à toutes les substances que vous ingérez et engagez-vous à choisir chaque aliment et chaque boisson en fonction de votre santé et de votre bien-être.

AFFIRMATION

Je suis heureux et bien vivant dans chaque aspect de mon être.
Mes cellules sont saines et fortes.
Mes organes travaillent aisément à leur pleine efficacité.

Examinez une à une les différentes parties de votre corps et ranimez-les en leur insufflant de la vie. Si vous rencontrez une douleur en chemin, parlez-lui. Quel lien entretenez-vous avec votre corps? Lui parlez-vous souvent? Prenez-vous le temps de l'écouter? Combien de fois n'a-t-on pas entendu le commentaire suivant : «Mon corps me disait de ralentir, mais je ne l'ai pas écouté»? Il faut commencer à l'écouter, c'est important.

Lorsque vous prendrez les bains suggérés dans les pages suivantes, prenez le temps de bien écouter votre corps. Prenez le temps de respirer et employez votre pouvoir mental à vous visualiser dans un engagement total en faveur de votre santé et de votre bien-être. Et n'oubliez surtout pas que le remède le plus puissant qui soit, c'est d'avoir une attitude positive envers la vie.

APERÇU DES BAINS THÉRAPEUTIQUES

Bain pour rhumes et grippes
* Pour venir à bout de ces affections

Bain au gingembre à la chinoise
* Quand on est grippé et qu'on a mal partout

Bain des jointures joyeuses
* Contre l'arthrite et le rhumatisme

Bain pour têtes endolories
* Pour soulager les céphalées

Bain pour femmes seulement
* Contre les maux et les infections propres aux femmes

Bain aux essences marines
* Purification et détoxication par les minéraux

Bain pour cuite carabinée
* Pour se remettre des excès de la veille

Bain au secret aztèque
* Lorsqu'on tombe d'épuisement

Merveilleux bain amincissant
* Pour aider à éliminer les kilos en trop

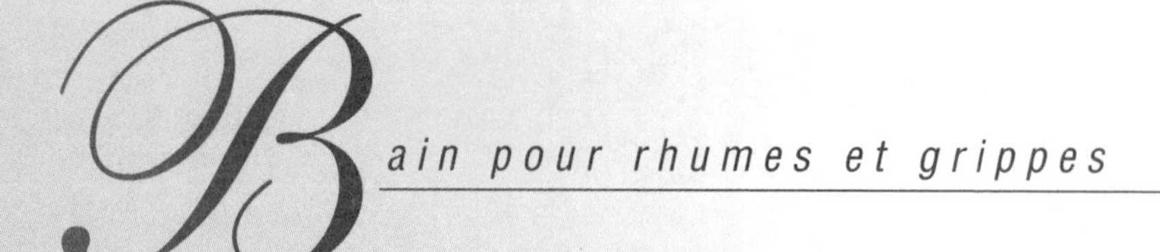

Bain pour rhumes et grippes

POURQUOI Ce bain aide à faire disparaître les mucosités qui encombrent les voies respiratoires supérieures, tout en améliorant la circulation et en soulageant le mal de tête. Un bain chaud, c'est prouvé, fait déjà beaucoup pour soulager un nez bouché ou un mal de tête causé par une sinusite. Un médecin bien connu, le Dr Lloyd Rosenvold, a fait des recherches portant sur les effets de l'eau chaude sur les pieds. C'est ainsi qu'il a découvert que l'eau chaude provoquait la dilatation des vaisseaux sanguins du pied. À mesure que le sang se précipite afin de remplir les artères dilatées, il se retire peu à peu de la tête, ce qui a pour effet de dégager les voies nasales.

Dans le *Prevention How-To Dictionnary of Healing Remedies and Techniques* (Dictionnaire pratique des remèdes et des techniques thérapeutiques, Rodale Press, 1992), on cite un autre chercheur qui a beaucoup travaillé dans ce domaine, le Dr Richard Hansen : «En plus de soulager les nerfs, les muscles et les articulations […], un bon bain chaud pris dès les premiers signes d'un rhume pourrait aider à drainer un rhume ou une grippe. Il a été prouvé que lorsque la température du corps s'élève jusqu'à 39,4 °C après une douche ou un bain chaud, le nombre des globules blancs (responsables de la lutte contre les infections) triple et demeure ainsi pendant les cinq heures qui suivent. On sait en outre que la plupart des virus du rhume et de la grippe ne peuvent se multiplier à des températures supérieures à 38,6 °C.»

5 gouttes d'huile essentielle d'eucalyptus (pour dégager les voies nasales)
5 gouttes d'huile essentielle de menthe poivrée (pour tonifier le corps)
5 gouttes d'huile essentielle de lavande (aide à accroître le nombre des globules blancs afin de combattre les bactéries infectieuses)
2 cuillerées à soupe de poudre (cristaux de vitamine C)
8 gouttes d'huile essentielle de thym (ou une poignée de thym frais infusé), si vous souffrez en plus d'une congestion de poitrine; contribue aussi à renforcer le système immunitaire.

COMMENT

Laissez-vous tremper tant et aussi longtemps que vous le désirez. L'important, c'est de vous détendre. Accrochez une affiche «Prière de ne pas déranger» à la porte, débranchez le téléphone, et buvez beaucoup d'eau chaude dans laquelle vous aurez mis du jus de citron et du miel.

Après le bain, regardez un film drôle pour oublier votre inconfort, puis allez dormir.

Un peu plus tard, au cours de la journée, vous pourriez prendre un second bain, au gingembre, cette fois, afin de débarrasser votre système d'une quantité additionnelle de mucosités. Il est toujours toujours préférable de prendre le bain au gingembre dans la soirée.

Avant de dormir, mettez quelques gouttes (trois ou quatre) d'huile d'eucalyptus sur la lisière de votre oreiller. On sait que cette précaution peut assécher un rhume en une nuit. Assurez-vous de mettre les gouttes là où elles ne risquent pas d'être en contact avec votre peau. Aussi, pour éviter de tacher taies et draps, procurez-vous de l'huile pâle ou incolore.

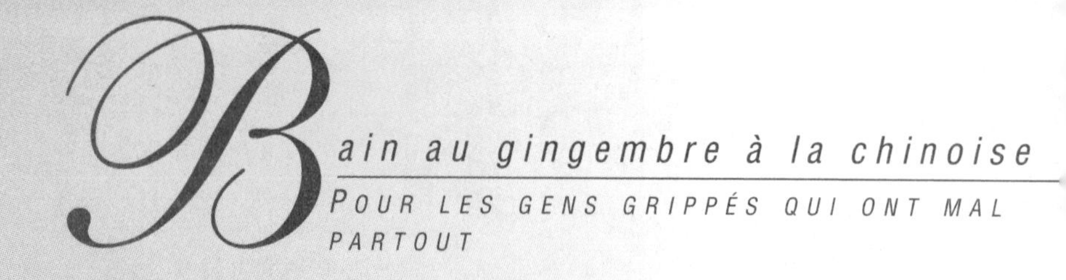

Bain au gingembre à la chinoise

Pour les gens grippés qui ont mal partout

POURQUOI En Chine, l'utilisation du gingembre à des fins médicinales remonte à un passé très lointain; et c'est toujours par les tisanes de gingembre que l'on y soigne les rhumes, les grippes et autres maux divers.

Bon nombre de mes clients les plus sceptiques ont obtenu d'excellents résultats avec le bain au gingembre et lui sont demeurés fidèles par la suite. Il fait merveille lorsque vos articulations vous font souffrir ou qu'une douleur se fait un peu trop persistante. Il fait également beaucoup de bien lorsqu'on souffre d'un rhume, d'une grippe, d'une crise de sciatique, d'arthrite ou de muscles endoloris.

30 ml de gingembre moulu

FACULTATIF

Rhizome de gingembre frais (pour en faire une tisane)

COMMENT Videz les trois quarts ou le contenu total d'une fiole de 30 ml de gingembre moulu dans l'eau du bain. Si vous avez la peau sensible, commencez par la moitié de la fiole et augmentez au bout de cinq minutes. Vous pourrez ressentir de légers picotements dans la région génitale. Laissez-vous tremper pendant une vingtaine de minutes. Vous allez sentir un grand réchauffement dans tout le corps alors qu'une chaleur bienfaisante s'infiltrera jusqu'à vos jointures. Dans les cas d'arthrite sévère, il serait bon de prendre une douche froide de quinze secondes après le bain afin d'emprisonner la chaleur du gingembre à l'intérieur des articulations.

Dans les cas de rhume ou de grippe, le gingembre fera circuler de la chaleur dans le corps tout entier, l'aidant ainsi à éliminer les toxines par la transpiration. S'il vous arrivait de vous sentir tremblotant ou pris de légers vertiges, sortez du bain, puisque le gingembre aura atteint son but.

Pendant que vous êtes dans le bain, n'oubliez pas de réfléchir au pouvoir du mental sur le processus de guérison. N'oubliez pas surtout l'action bénéfique de la pensée positive, de la visualisation et de la prière sur ce même processus.

Bain de mains et bain de pieds

Faites tremper vos mains ou vos pieds, ou les deux, dans des bassins de gingembre et d'eau chaude pendant vingt minutes; puis rincez à l'eau froide.

Après ce bain partiel, mettez-vous au lit et laissez le corps retrouver son équilibre. Vous pourriez alors, si tel était votre désir, écouter une méditation de guérison sur cassette.

Tisane de gingembre

Si vous adoptez ce remède, vous n'aurez plus jamais mal à la gorge : Dès les premiers signes d'irritation, couper trois ou quatre tranches d'un rhizome de gingembre frais (environ de l'épaisseur d'une pièce de cinq cents) et mettre dans une casserole avec 750 ml d'eau. Amener à ébullition, réduire la chaleur et laisser mijoter pendant vingt minutes. Ajouter du miel au goût et boire la valeur d'une tasse. Vous pourriez aussi en boire plusieurs tasses au cours de la journée.

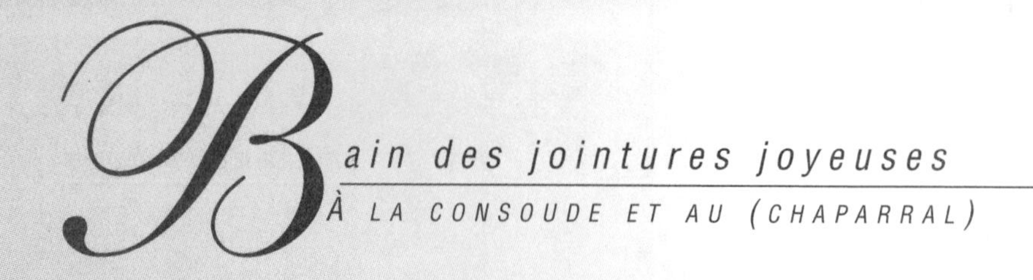

Bain des jointures joyeuses à la consoude et au (chaparral)

POURQUOI Grand guérisseur-régénérateur des articulations, ce bain est particulièrement efficace contre l'arthrite et le rhumatisme.

3 gouttes d'huile essentielle d'eucalyptus (anti-inflammatoire, facultatif)
1 poignée de feuilles de consoude
2 poignées de (chaparral) (remède spécifique des jointures et des rhumatismes)

FACULTATIF
Faire une tisane avec 1/2 cuillerée à café de feuilles de consoude et 1/2 cuillerée à café de feuilles de (chaparral)
Un peu de miel au goût

COMMENT On appelle souvent la consoude le «remède du rebouteur» ou le «soudeur d'os»[1], car il y a plus de 2 000 ans qu'on s'en sert à des fins médicinales pour aider à consolider les fractures et à cicatriser les plaies.

La consoude contient de l'allantoïne, une substance qui aide le corps à se protéger en favorisant le renouvellement des cellules après une intervention chirurgicale ou une blessure.

En râpant de la racine fraîche à laquelle on ajoute un peu d'eau, on prépare un onguent qui soulage les brûlures. On peut aussi aider les éraflures et les coupures à cicatriser en appliquant sur la peau des compresses de coton hydrophile imbibées d'une infusion de feuilles fraîches.

1. Dans la *Flore laurentienne* du frère Marie Victorin, on signale qu'en France on l'appelle «l'herbe à la coupure». (N.d.T.)

Dans le bain, le corps absorbe les vertus thérapeutiques de la plante.

Au Moyen Âge, les moines, qu'on tenait pour des guérisseurs cultivaient la consoude dans leurs potagers afin de pouvoir soigner les malades et les blessés. (À cette époque, d'après la légende, on croyait qu'en mélangeant de la consoude à l'eau du bain, une femme pouvait recouvrer sa virginité.)

Faites infuser une poignée d'un mélange de consoude et de (chaparral) dans de l'eau bouillante pendant vingt minutes; filtrer et ajouter le liquide obtenu à l'eau du bain. Laissez-vous tremper de vingt à trente minutes pendant que vos articulations se décontractent et se détendent.

Sucrée au miel, la tisane de consoude et de (chaparral) est merveilleusement apaisante. Buvez-en pendant le bain ou le matin au réveil.

Bain pour têtes endolories

POURQUOI En ouvrant les pores de la peau, ce bain favorise une meilleure circulation du sang et de l'oxygène dans la tête, soulageant par le fait même les céphalées. Les essences peuvent varier selon le type de mal de tête.

2 gouttes d'huile essentielle de menthe poivrée sur une compresse à appliquer sur le front, ou 5 gouttes dans l'eau du bain, conviendront à tous les maux de tête.

2 gouttes d'huile essentielle de lavande sur une compresse à appliquer sur le front, ou 5 gouttes dans l'eau du bain, conviendront aux maux de têtes causés par une tension au niveau de la nuque ou par une fatigue oculaire.

2 gouttes d'huile essentielle de camomille sur une compresse à appliquer sur le front, ou 5 gouttes dans l'eau du bain, pour les maux de tête occasionnés par la tension nerveuse ou par les embarras gastriques.

FACULTATIF

On peut ajouter 3 gouttes d'huile essentielle d'eucalyptus lorsque la céphalée est causée par une sinusite.

Avant le bain, frictionnez-vous la nuque avec un peu d'huile de lavande. Puis, pendant que vous êtes dans le bain chaud, appliquez sur votre front, ou tout autour de la tête, une serviette remplie de glaçons. Avec deux doigts, massez-vous autour des tempes ainsi qu'à la base du crâne, après avoir mis sur chaque doigt une goutte de l'huile appropriée à votre type de céphalée.

Inspirez lentement par le nez, puis expirez par la bouche. Visualisez que l'air inspiré est parfaitement pur et blanc, alors que le souffle que vous relâchez contient toute votre douleur et toute votre négativité. Voyez celles-ci s'évanouir dans l'espace. Après le bain, essayez de vous reposer.

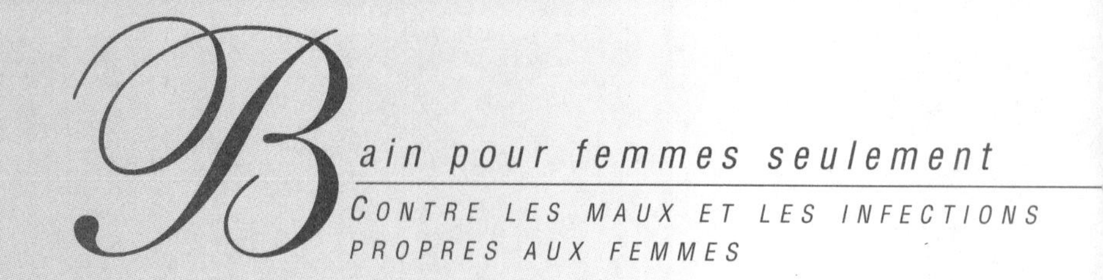

Bain pour femmes seulement

Contre les maux et les infections propres aux femmes

POURQUOI Ce bain est efficace contre les infections vaginales, y compris les infections à levures, les infections de la vessie, les kystes et les troubles de l'appareil reproducteur. Il aide à régulariser l'équilibre hormonal et le cycle menstruel. Prenez ce bain quelle que soit votre infection; il vous aidera à en venir à bout tout en ayant sur votre corps un effet des plus calmants.

Une poignée de chacun des ingrédients suivants que vous aurez fait infuser comme du thé dans 2 litres d'eau bouillante pendant 20 minutes. Passez le liquide à travers une passoire à thé.
Sauge
Thym
Romarin
Clous de girofle entiers

COMMENT Passer le liquide et le verser dans une baignoire remplie d'eau chaude. L'eau sera un peu brunâtre et c'est normal. Détendez-vous une bonne vingtaine de minutes.

Pendant ce temps, essayez de voir s'il y a actuellement dans votre vie une situation émotionnelle qui pourrait vous déranger – il s'agit habituellement d'une relation amoureuse –, et qui pourrait faire en sorte que vous vous refermiez sur les plans émotif et sexuel. Serait-il possible que vous éprouviez un certain sentiment de culpabilité d'ordre sexuel? Peut-être y a-t-il des problèmes non résolus entre vous et les hommes qui font partie de votre vie? Après une introspection approfondie, peut-être serez-vous surprise de constater qu'il existe un lien entre votre problème relationnel et les ennuis que vous éprouvez présentement sur le plan physique?

Il arrive parfois qu'une infection de la vessie se déclare après une merveilleuse nuit d'amour intense et prolongée. Ce bain parviendra à calmer votre affection et ne vous laissera que d'heureux souvenirs.

Pour celles qui aimeraient mettre à l'épreuve un remède d'autrefois qui agit toujours, voici ce qu'il faut faire : peler une gousse d'ail et l'introduire dans le vagin pour la nuit. Cette pratique est encore plus efficace lorsque vous fabriquez un tampon vaginal en imbibant un morceau de coton d'une bonne huile d'olive de première pression à froid que vous enroulez ensuite autour de la gousse d'ail. Ne vous inquiétez pas de l'odeur de l'ail, il n'y en aura pas! Ce remède est venu à bout de mes pires infections en deux ou trois nuits. Une gousse d'ail peut aussi déclencher ces règles qui tardent – contribuant ainsi à soulager les troubles reliés au SPM.

On peut également employer la présente recette pour des bains de pieds ou de mains lorsque ces parties du corps souffrent d'une infection quelconque.

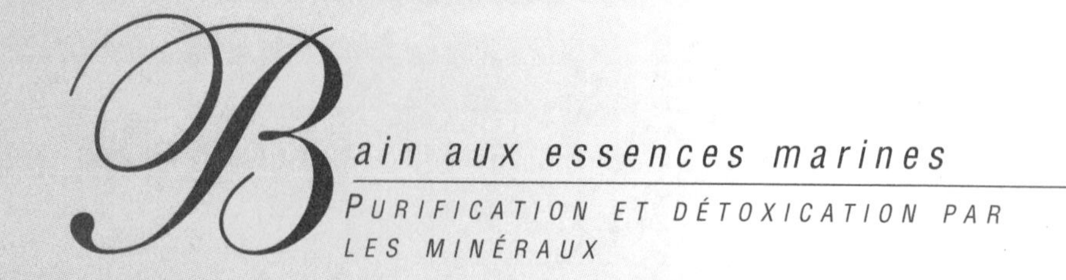

Bain aux essences marines

Purification et détoxication par les minéraux

POURQUOI Pour aider le corps à se débarrasser des impuretés qui l'intoxiquent. Outre leurs vertus antibiotiques, les algues marines sont très riches en minéraux tels que le magnésium, le potassium , le fer et le zinc, tous grands éliminateurs de toxines.

450 g d'algues françaises lyophilisées
10 gouttes de votre huile essentielle préférée

Facultatif

Mélanger un peu de poudre d'algue avec de l'eau afin d'en faire un masque tonifiant que vous garderez sur votre visage pendant la durée du bain.

COMMENT Pendant ce bain, il faut penser santé, énergie, vigueur. Réfléchissez aux grands pouvoirs de l'océan, à l'origine marine de toute vie, à tous les types de nourriture que fournit la mer : poissons, crustacés, végétaux. L'océan est synonyme d'abondance, de richesse, de source de vie. C'est d'ailleurs la force de vie de l'océan qui vous pénètre pendant ce bain de mer. Vous devez ressentir cette vie qui vous envahit, éliminant les toxines, les déséquilibres et les impuretés de votre corps, les lavant à grande eau. Mais d'une eau caressante pour les nerfs tendus, comme les vagues apaisantes sur le rivage. Sentez votre cœur revigoré par une douce brise. Laissez aller votre imagination et répandez-vous dans la beauté du paysage marin, dans la douceur de l'air, la chaleur du soleil. Sentez-vous de plus en plus léger, libéré de tous vos soucis, flottant en toute liberté pendant que chacune de vos cellules subit une cure de rajeunissement... Car c'est là l'objet de ce bain aux essences marines : rajeunir le mental, le corps et l'esprit. En outre, si vous avez appliqué sur votre visage le masque à la poudre d'algues, votre visage lui-même s'en trouvera revigoré.

Bain pour cuite carabinée

Pour se remettre des excès de la veille

POURQUOI Pour le lendemain d'une nuit d'excès.

5 gouttes d'huile essentielle de fenouil
3 gouttes d'huile essentielle de genévrier
8 gouttes d'huile essentielle de romarin
2 cuillerées à soupe de vitamine C en poudre
Le jus d'un demi-citron dans 250 ml d'eau chaude

COMMENT Après avoir rempli la baignoire d'eau chaude, versez-y tous les ingrédients et brassez vigoureusement. Étant donné que l'alcool prive le corps d'une certaine quantité de son eau vivifiante en le déshydratant, ce bain constitue une façon agréable de rétablir son équilibre. Pendant le bain, buvez votre verre d'eau chaude citronnée à petites gorgées et placez sur votre front une compresse trempée dans l'eau du bain.

Il est bien connu que pendant les folles années vingt, certains contrebandiers fabriquaient illégalement de l'alcool dans leur baignoire, c'est ce qu'on a appelé le «Bathtub Gin» (gin de baignoire). Mais ce qu'on sait moins, par contre, c'est qu'on se servait aussi de la baignoire pour y dissiper son ivresse par la relaxation.

Lorsque vous prenez ce bain pour vous débarrasser de votre gueule de bois, vous devez d'abord vous concentrer sur votre respiration pendant quelques minutes. Quand vous aurez atteint un état de relaxation profonde, entrez en contact avec le pouvoir de votre volonté et faites circuler de l'énergie de guérison dans chacune des parties de votre corps où vous sentez une absence d'équilibre.

Nous sommes tous doués du pouvoir de guérison. Nos cellules sont dotées d'une intelligence interne qui sait guérir et reconstruire. Servez-vous de votre imagination de façon créative, comme le ferait un enfant. Voyez-vous bien portant et plein d'énergie; voyez-vous en train de rire et de vous amuser, jouissant pleinement des plaisirs de la vie. Ne laissez que les pensées et les émotions positives circuler en vous; faites disparaître les idées noires d'un coup de baguette magique.

Enfin, laissez-vous flotter, complètement détendu, vous sentant en pleine forme.

Bain au secret aztèque

Pour guérir un état d'épuisement

Pourquoi Ce bain convient parfaitement lorsque vous êtes dans un état d'épuisement total juste avant une journée ou une soirée très importante.

Secret aztèque, 250 ml (argile médicinale indienne, que l'on trouve dans les boutiques de produits naturels ou diététiques)
1 tasse de tisane de menthe poivrée à siroter pendant le bain

Comment Laissez-vous tremper dans le bain d'argile de vingt à trente minutes. Cela vous rendra votre vigueur.

Au cours des siècles, l'argile a toujours fait partie intégrante des masques et des bains de beauté. Pour son rituel de beauté quotidien, Cléopâtre employait déjà, il y a plus de 5 000 ans, de l'argile provenant du Nil et du désert d'Arabie.

Dans les grandes stations thermales d'Allemagne et d'Italie, dont certaines datent de l'époque romaine, il y a plus de 1 000 ans, on a toujours utilisé abondamment les compresses et les enveloppements à l'argile en raison des propriétés esthétiques et médicinales de cette dernière. Nombreux aussi sont les naturopathes bien connus, comme Kneipp, Vuhn et Just, qui ont toujours trouvé dans l'argile les éléments naturels dont ils avaient besoin.

Pendant le bain, essayez de détendre votre esprit. Laissez-le vagabonder vers des pensées, des sentiments et des souvenirs heureux. Lorsqu'une pensée négative surgit, entourez-la d'une bulle de lumière blanche, puis voyez-la s'envoler doucement en dehors de votre champ de vision intérieur et se dématérialiser. Faites jouer de la musique édifiante tout en dégustant votre tisane de menthe.

Ensuite, rincez-vous rapidement à l'eau fraîche, si possible; sinon, faites-le à l'eau tiède.

Vous pouvez également vous faire un masque avec le secret aztèque. Grâce à son action énergisante, les ridules de fatigue disparaîtront de votre visage pour le reste de la soirée. Mélangez simplement un peu de secret aztèque avec de l'eau ou du vinaigre pour en faire une pâte que vous appliquerez ensuite sur le visage et le cou, en évitant avec soin le tour des yeux. Vous aurez l'impression d'avoir subi un léger déridage. Au seizième siècle, un moine du midi de la France avait acquis une certaine notoriété pour avoir mis au point un cataplasme de vinaigre de cidre et d'argile.

Mais il y a encore une autre merveilleuse façon de guérir un état d'épuisement, et c'est le rire. Apportez un magazine de bandes dessinées dans la baignoire afin de mettre un peu d'humour dans votre quotidien. Évoquez des incidents cocasses du passé. L'humour allège les tensions, et nous savons que ce sont les tensions diverses qui provoquent notre état d'épuisement. Commencez donc par l'humour : mettez une cassette de votre humoriste préféré et laissez le rire chasser vos soucis, qui disparaîtront avec l'eau du bain.

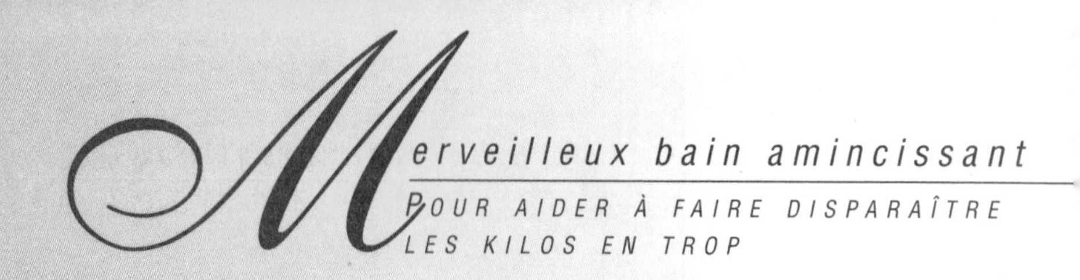

Merveilleux bain amincissant

Pour aider à faire disparaître les kilos en trop

POURQUOI Les huiles de ce bain tonifient les tissus cutanés en s'attaquant à la graisse logée dans les cellules.

5 gouttes d'huile essentielle de pamplemousse
5 gouttes d'huile essentielle de citron
5 gouttes d'huile essentielle de sauge
5 gouttes d'huile essentielle de basilic

COMMENT Mélangez bien toutes les huiles dans l'eau du bain. Une fois dans l'eau, massez-vous énergiquement avec une éponge végétale de luffa. Massez bien (2 à 3 minutes) le point réflexe de la thyroïde situé à la base de chacun des gros orteils. Ensuite, détendez-vous en utilisant l'œil de votre esprit pour visualiser votre corps dans toute sa perfection. Vous pourriez vous munir d'une photo de vous-même ou d'un mannequin quelconque, mais qui illustre le corps idéal que vous souhaitez. Pendant le bain, regardez bien cette photo en imaginant que votre propre corps devient ce nouveau corps que vous contemplez.

Au cours de cette visualisation, vous pourriez avoir la surprise de rencontrer certaines résistances – différentes raisons pour maintenir votre excès de poids. Une de mes amies gardait son embonpoint afin de se prémunir contre les avances sexuelles masculines qu'elle ne savait pas refuser autrement.
Une autre femme entretenait de la rancune contre son mari : c'était sa façon de le punir. Une ravissante adolescente que je connais s'est mise à prendre beaucoup de poids après avoir été agressée sexuellement par l'ami de sa mère.

À part le fait que l'acte de manger soit une source de plaisir et d'agrément et une nécessité de la vie, il y a d'innombrables raisons pour expliquer les kilos en trop. De nombreuses recherches ont montré que les allergies alimentaires pouvaient causer l'obésité. Nous éprouvons souvent une fringale des aliments auxquels nous sommes le plus allergiques. Le fait d'éliminer cet aliment de votre régime pendant huit semaines pourrait être une des façons de maîtriser cette allergie.

Ouvrez votre esprit et tentez de découvrir quelles sont les circonstances de nature physique ou émotionnelle qui causent votre surcharge pondérale.

Méditation pour le bain amincissant

Avant toute chose, et c'est le plus important, il faut avoir face au corps et dans les sentiments qu'on éprouve à son égard une attitude positive. Le poids qui importe le plus n'est pas tellement celui du corps, mais celui des sentiments négatifs que vous entretenez à votre sujet. C'est ce poids qu'il faut d'abord alléger à l'intérieur de vous.

Pendant que vous vous relaxez dans ce bain, prenez bonne note de vos sentiments négatifs; explorez-les sans les juger. Après les avoir bien identifiés, tentez de percevoir à la lumière de votre vérité intérieure infinie ce que vous pensez *vraiment* de votre corps. Vos sentiments peuvent remonter très loin dans votre passé. Ils peuvent provenir d'une parole prononcée il y a une éternité mais qui ne vous a plus quitté depuis, surtout si elle avait été proférée par un personnage important de votre petite enfance. Pour se libérer de son passé, toutefois, il faut être dans l'instant présent. Donc, s'il vous paraît nécessaire et pertinent d'explorer votre passé, vous pouvez le faire, mais à condition d'être bien ancré dans le présent. Vous pourriez alors prendre vos sentiments négatifs un à un, les effacer et les remplacer en imagination par leur contraire. Notre lourdeur, c'est notre lourdeur intérieure, notre souffrance intérieure – la nôtre et celle que nous portons peut-être pour d'autres. Nous avons parfois besoin d'être protégé à cause d'une grande sensibilité à tout ce qui se passe dans le monde – notre excès de poids constitue alors une armure.

Notre surpoids pourrait aussi être relié à quelque chose d'aussi simple que la *peur*..., la peur d'être tout ce que nous pourrions être. De même que l'apparence *actuelle* de notre corps pourrait être celle qu'il *doit avoir* dans cette vie-ci... Si c'est vraiment ce que vous dit votre cœur, il faut l'accepter sans condition. Cependant, si vous utilisez votre poids pour dissimuler une peur, ou en raison d'une piètre estime de vous-même, vous devrez vous regarder avec honnêteté et prendre ce bain deux ou trois fois par semaine. Faites-en un moment d'introspection. Ne vous jugez pas à partir des pensées que vous entretenez depuis toujours, mais commencez plutôt par explorer vos sentiments. Amorcez le processus d'exploration par une méditation à l'extérieur du bain. Que cette méditation soit avant tout empreinte d'amour et d'acceptation de vous-même.

Affirmation

Je m'aime et je m'accepte totalement tel que je suis dans le moment présent.

Au fur et à mesure que votre corps se transformera, il faudra continuer à l'aimer et à l'accepter tel qu'il sera. Mais n'oubliez pas qu'il faut d'abord l'accepter tel qu'*il est* dans le moment afin d'appuyer les changements sur une base solide.

LISTE D'EMPLETTES POUR LES BAINS THÉRAPEUTIQUES

BOUTIQUES DE PRODUITS NATURELS

Algues lyophilisées
Clous de girofle (entiers)
Feuilles de consoude
Feuilles de romarin
Feuilles de (chaparral) (chêne rouvre)
Gingembre moulu
Secret aztèque (cendre volcanique) (argile)
Vitamine C

HUILES ESSENTIELLES

Basilic
Citron
Eucalyptus
Fenouil
Genévrier
Lavande
Menthe poivrée
Pamplemousse
Sauge (aussi : poudre et feuilles)
Thym (aussi : poudre et feuilles)

QUATRIÈME PARTIE

BAINS «MÉTAPHYSIQUES»

Le corps énergétique

Imaginez un instant que vous ne soyez pas uniquement ce corps physique que vous pouvez voir, mais que vous soyez également un réseau lumineux de courants d'énergie électrique. Imaginez maintenant que les grands méridiens de l'acupuncture soient les circuits principaux d'un infini réseau de conduction de courants d'énergie formant un corps d'électricité (ou corps énergétique). C'est ce corps énergétique qui est responsable de l'aura, ce rayonnement de couleurs que certains voyants peuvent percevoir et qu'on peut photographier par le procédé Kirlian. La science commence à peine à comprendre ce que les métaphysiciens (et les médecins d'Asie) savent depuis des siècles : que la force de vie qui est la nôtre n'est pas limitée à l'intérieur de notre corps, mais qu'elle nous entoure tant et aussi longtemps que la vie est présente.

Puisque le corps énergétique est doté de propriétés physiques aussi bien que spirituelles, il rend possibles les échanges d'énergie de telle sorte qu'une expérience du plan physique, comme un bain, peut avoir un effet important sur l'esprit.

Même si la science occidentale a mis bien du temps à reconnaître le lien entre le corps, le mental et l'esprit, d'autres cultures plus anciennes et plus sages l'avaient compris depuis des millénaires. Si bien que chez les Chinois, les Hindous et les Amérindiens, on sait depuis toujours qu'il est impossible d'être en santé à moins que les trois composantes du soi – corps, mental, esprit – ne soient en harmonie.

Les rituels des bains «métaphysiques»[1] que contient le présent ouvrage ont été sélectionnés à partir de sources très variées. Utilisés universellement pour leurs propriétés bienfaisantes, ils vous aideront à guérir, à raviver et à protéger la partie la plus mystérieuse de votre être : votre esprit. Ils contribueront, en outre, à rétablir l'harmonie et l'équilibre entre votre être physique et votre être métaphysique.

1. L'auteur donne au mot «métaphysique» son sens premier, c'est-à-dire : ce qui dépasse ou englobe le physique. (N.d.T.)

APERÇU DES
BAINS « MÉTAPHYSIQUES »

Bain yogique pour purifier l'aura

* Un bon nettoyage du champ énergétique

Bain qui guérit la psyché

* Lorsqu'une personne de votre entourage sape votre énergie

Bain qui aide à protéger l'équilibre psychique

* Lorsque vous vous sentez attaqué dans votre psyché

Bain qui favorise la conscience métapsychique

* Pour éveiller la vision intérieure

Bain qui rétablit le lien entre la tête et le cœur

* Pour lever les blocages qui empêchent
la réussite

Bain yogique pour purifier l'aura

POURQUOI Sur le plan du corps physique, ce bain fait merveille lorsqu'il faut éliminer des toxines d'origine chimique, les effets d'une irradiation ou ceux d'une invasion d'agents pathogènes tels ceux du rhume ou de la grippe. C'est le bain qu'il faut prendre *dès l'instant* où vous sentez que vous pourriez «couver quelque chose».

Sur le plan spirituel, maintenant, ce bain aidera à éliminer toute négativité de votre aura, vous laissant l'esprit clair, revivifié et agréablement alerte.

450 g de bicarbonate de soude
225 g de sel (du sel de mer de préférence; sinon, du sel de table ou du sel kascher)

FACULTATIF
Bougies (myrica ou myrrhe)
Enregistrement de harpe

COMMENT Pour débarrasser votre corps de certains produits chimiques toxiques – drogues, alcool, médicaments, pesticides, résidus d'irradiations ou autres polluants environnementaux –, il faudra prendre ce bain tous les jours pendant 7 jours consécutifs.

Remplir la baignoire avec de l'eau dont la chaleur vous est agréable. Ajouter le sel et le bicarbonate et faites-vous tremper pendant une vingtaine de minutes.

S'il vous arrivait de ressentir certains malaises, tels que nausée, étourdissement ou faiblesse, vous devez sortir de l'eau immédiatement, car le bain aura atteint son objectif, c'est-à-dire qu'il aura libéré votre organisme des toxines.

Vous devriez commencer à vous sentir un peu plus léger. Si vous pouvez ressentir votre corps énergétique, vous devriez bientôt prendre conscience d'un mouvement accru à l'intérieur de vous.

Pour nettoyer l'aura

Laissez-vous tremper dans le bain de bicarbonate et de sel aussi longtemps que vous le désirez. Laissez-vous entrer dans un état méditatif léger en laissant flotter votre esprit à l'extérieur de vous, comme porté par l'eau qui vous entoure. Imaginez que votre champ «aurique» réagit avec l'eau du bain... Voyez les influences négatives qui minent vos forces être attirées par l'eau et se dissoudre à son contact. Visualisez la colère, le chagrin et les doutes être effacés par l'action de l'eau bienfaisante... – et tous ces résidus de nature psychique que vous avez attrapés de vos proches et qui se sont accumulés en vous –, voyez-les quitter votre champ énergétique, attirés par le magnétisme de l'eau.

Suggestions additionnelles

Des airs de harpe créeront une résonance particulière avec votre esprit alors que des clochettes tibétaines peuvent amorcer d'elles-mêmes un certain nettoyage. La lumière des bougies vous aidera à vous concentrer sur l'infini. Lorsque celles-ci sont parfumées à la myrica ou à la myrrhe, leur arôme accroît la perception de l'esprit sans perturber la qualité de l'état méditatif. Après, vous pourriez tenter l'expérience de dormir sur un oreiller rempli de buis. Votre aura chatoyante pourrait alors attirer des rêves prémonitoires ou d'une limpidité exceptionnelle.

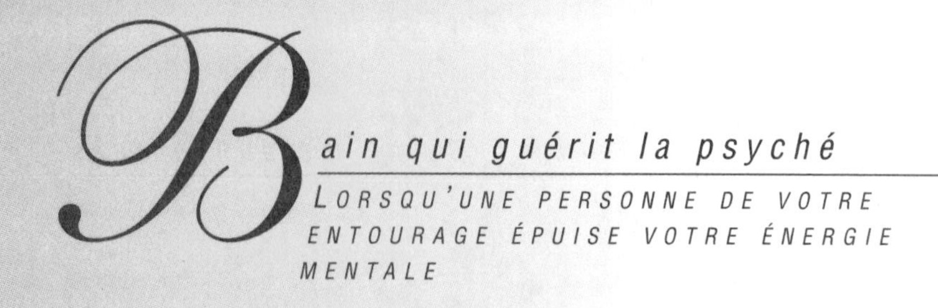

Bain qui guérit la psyché

LORSQU'UNE PERSONNE DE VOTRE ENTOURAGE ÉPUISE VOTRE ÉNERGIE MENTALE

POURQUOI Ces personnes qui sont capables de vous vider de votre vitalité et de votre force de vie, je les appelle des «vampires psychologiques». Tantôt elles ont l'air d'agir délibérément, tantôt elles sont elles-mêmes tellement totalement dépourvues d'énergie qu'elles déchargent vos piles sans le vouloir.

Lorsque vous avez côtoyé une telle personne – membre de votre famille, collègue de travail, ami(e) ou amoureux(euse) –, il existe un bain tout simple qui pourra vous revivifier en rechargeant vos piles psychologiques.

250 ml de vinaigre de cidre

COMMENT Remplissez la baignoire avec de l'eau légèrement chaude, ajoutez le vinaigre et laissez-vous tremper pendant une vingtaine de minutes. Après le bain, si vous le pouvez, sortez pieds nus à l'extérieur, même si ce n'était que quelques secondes, afin d'effectuer une mise à la terre de toute la négativité qui avait envahi votre corps. Imaginez qu'elle s'écoule de vous par vos pieds et qu'elle pénètre loin, très loin dans les entrailles bienveillantes de notre Mère la Terre où elle sera purifiée et reconvertie en énergie utile.

Après ce bain, il ne faut pas vous mettre au lit avant au moins une heure. Votre corps aura besoin de se rééquilibrer; alors détendez-vous simplement en lisant un bon livre ou en écoutant de la musique. Vous avez besoin de recharger votre réservoir et vous rappeler votre valeur en tant qu'enfant de l'Univers.

Il arrive souvent que nous nous laissions volontairement vider par des gens qui ont de grands besoins, mais ce n'est pas ce que l'Univers a voulu. Chacun de nous est un être sacré qui a l'obligation de protéger et son corps et son esprit.

Bain qui aide à protéger l'équilibre psychique

Lorsque vous vous sentez attaqué dans votre psyché

POURQUOI Il y a des moments dans la vie où nous sommes assaillis par les intentions malveillantes d'autrui. L'assaut peut se manifester dans une forme-pensée créée par quelqu'un qui nous veut du mal. Il peut provenir d'une entité désincarnée, une âme troublée ayant de la difficulté à franchir l'état de transition que nous appelons «la mort». Il peut même provenir de la malveillance délibérée d'un ennemi à notre égard.

Or, quel que soit le motif de cette attaque, un remède amérindien pourra la contrer et vous préserver de ses effets.

5 gouttes d'huile essentielle de cèdre
4 gouttes d'huile essentielle de myrrhe pourraient aussi être déposées soir et matin dans les coins de la pièce où vous vous sentez le plus vulnérable, afin de vous protéger de toute énergie négative.

FACULTATIF
Copeaux de cèdre (à faire brûler)

COMMENT Mettez les gouttes d'huile de cèdre pure (non synthétique) dans une baignoire remplie d'eau chaude et faites-vous tremper pendant vingt minutes. Vous pourriez aussi faire brûler des copeaux de cèdre près de la baignoire, comme le font les Amérindiens, afin de purifier l'environnement. Enfin, n'oubliez pas de laisser une fenêtre ou une porte ouverte afin que l'énergie de «l'esprit» puisse s'échapper.

AFFIRMATION

Il y a une prière de protection très puissante que vous pourriez dire dans de telles circonstances. Mais d'abord, laissez votre esprit glisser dans un état méditatif favorable à la prière. Si vous connaissez l'identité de l'entité qui vous assaille, dites son nom; sinon, cela n'aura pas beaucoup d'importance, car la prière agira tout de même. La voici :

Par la puissance de Jésus-Christ (ou de toute autre déité ou Vérité universelle importante pour vous) et par l'intercession de mon ange gardien, je t'ordonne, [nom], de quitter mon champ aurique. Retourne à ta source et sois élevé vers la Lumière.

Dites cette prière à voix haute et ferme jusqu'à ce que vous sentiez que le danger est passé.

Vous pourriez aussi y ajouter ma prière de protection préférée. C'est une prière puissante que je dis plusieurs fois par jour. Elle me vient d'Isabel Hickey, grande astrologue et métaphysicienne.

Je me couvre d'un habit de Lumière fait de l'Amour, de la Puissance et de la Sagesse de Dieu, non seulement pour être protégé, mais afin que quiconque m'approche ou me voie soit attiré vers Dieu et guéri.

Chaque fois que vous direz cette prière, visualisez-vous drapé dans ce splendide vêtement de lumière et vous vous sentirez, à votre surprise, entouré de grandes forces protectrices.

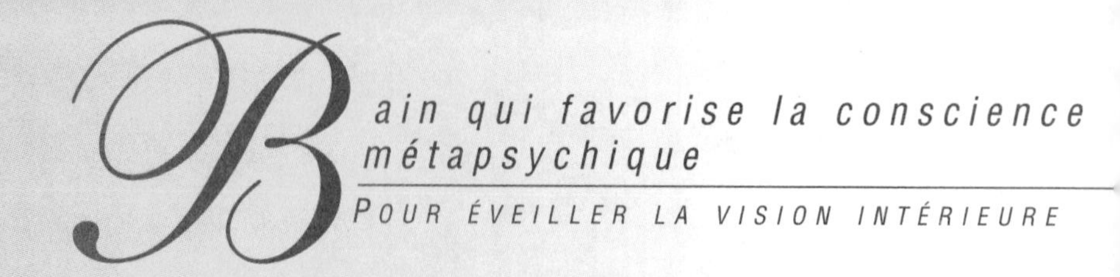

Bain qui favorise la conscience métapsychique

POUR ÉVEILLER LA VISION INTÉRIEURE

POURQUOI Ce bain stimule la conscience spirituelle et aide à développer les facultés métapsychiques.

Mélanger 3 (ou plus) des huiles essentielles suivantes dans l'eau du bain à raison de 5 gouttes chacune :

Huile de lilas – Elle aide à percevoir les vies antérieures, développe la clairvoyance.

Huile de lemon-grass – Elle contribue au développement des facultés médiumniques. Vous pouvez en mettre sur votre front pendant le bain; c'est celle que les médiums et les spirites utilisent pour entrer en contact avec les esprits.

Huile de mimosa – Pour les bains pris le soir, car elle ouvre la porte des facultés métapsychiques. Ayez toujours un crayon et du papier près de votre lit afin de noter vos rêves. Et ne soyez pas surpris d'y entrevoir des bribes d'avenir.

Huile de genévrier – Pour la protection et la purification de la psyché. Mettez-en dans tous les bains qui favorisent la conscience métapsychique.

Huile de magnolia – Elle n'a pas sa pareille pour la méditation, le développement métapsychique et pour susciter un état de paix et d'harmonie.

Huile de muscade – Elle provoque les visions et l'expansion de la conscience. Employez-en très peu!

Une bougie

Comment

Mélangez lentement les huiles choisies à l'eau chaude pendant que vous êtes dans le bain. Faites tournoyer les essences autour de votre corps.

Le troisième œil est situé au milieu du front entre les sourcils. Les mystiques soutiennent qu'en concentrant l'attention sur ce point, on peut éveiller sa vision intérieure. Si vous pratiquez l'exercice qui suit de façon quotidienne, vous allez certainement pouvoir *sentir* ce troisième œil et en faire l'expérience.

Voici un exercice pour ouvrir le troisième œil, à faire pendant que vous êtes dans ce bain :

Faites brûler une bougie là où vous pourrez la voir. Les yeux détendus, fixez votre regard sur la flamme, puis imaginez la réflexion de celle-ci au centre du front, entre les sourcils. Essayez de maintenir cette vision pendant une minute ou deux, puis recommencez depuis le début. Après quelque temps, fermez les yeux doucement en gardant votre attention sur le troisième œil, puis laissez-vous dériver..., en essayant de ne penser à rien. Si des pensées vous envahissent, essayez de faire taire le mental en vous concentrant sur votre respiration. En comptant jusqu'à sept pendant chaque inspiration, puis encore jusqu'à sept pendant chaque expiration, vous devriez parvenir à calmer votre esprit et permettre l'ouverture du troisième œil.

Bain qui rétablit le lien entre la tête et le cœur

POURQUOI Ce bain vous aidera à lever tous les blocages qui vous empêchent de réussir selon vos désirs. L'essence de lavande dissout les conflits d'ordre émotionnel qui entravent la croissance spirituelle, alors que l'essence de citron favorise la clarté de l'esprit.

10 gouttes d'huile essentielle de lavande
10 gouttes d'huile essentielle de citron

COMMENT On devrait prendre ce bain le matin afin de profiter pleinement de l'état de grande lucidité qu'il entraîne. Si vous êtes inquiet en raison d'un examen ou de la présentation d'une proposition d'affaires, c'est le bain parfait pour vous aider à vous y préparer.

Pendant que vous êtes dans le bain, visualisez les blocages qui se dégagent lentement de la région du cœur et du plexus solaire. À mesure qu'ils se délogent, bougez l'eau autour de vous et sentez-les se dissoudre. Avant de sortir du bain, rincez-vous rapidement à l'eau tiède afin de vous débarrasser mentalement des blocages qui collent encore à vous. Voyez-les tourbillonner avec l'eau du bain et disparaître avec elle hors de votre vie.

Retrouver la joie pour atteindre le succès

Un des blocages que nous rencontrons provient d'une absence de joie. Lorsque la joie circule librement en nous, nous pouvons réussir n'importe quoi. Songez à la joie pure qu'incarne l'enfant. Ne percevant ni barrière ni obstacle, il court en toute liberté. Pendant que vous êtes dans le bain, évoquez ce sentiment de liberté dans chacune de vos cellules. L'enfant ne s'arrête pas à penser et à analyser chacun de ses gestes; il se laisse porter par le courant de ses idées et par sa créativité intérieure, qui a besoin de s'exprimer. Quelle barrière vous empêche, vous, de suivre votre propre créativité? La joie ne connaît pas de frontières.

AFFIRMATION

Vous pourriez affirmer ce qui suit :

Ma joie est sans bornes.
Je suis complètement libre et je parviens à la réussite et à la plénitude dans tous les aspects de ma vie.

LISTE D'EMPLETTES POUR LES BAINS «MÉTAPHYSIQUES»

ÉPICERIE

Bicarbonate de soude
Sel de mer, de table ou kascher
Vinaigre de cidre

HUILES ESSENTIELLES

Cèdre
Citron
Genévrier
Lavande
Lemon-grass
Lilas
Magnolia
Mimosa
Muscade
Myrrhe

BOUTIQUES DE PRODUITS NATURELS

Bougies (myrica ou myrrhe)
Copeaux de cèdre

MUSIQUE

Harpe ou clochettes tibétaines

CINQUIÈME PARTIE

BAINS DE BEAUTÉ

La belle et le bain

La beauté est-elle une qualité du visage et du corps ou une qualité de l'esprit? Puisque les trois ont un rôle important à jouer, la baignoire ne serait-elle pas l'endroit idéal où la rehausser?

Pour séduire Marc Antoine, Cléopâtre se baignait dans les pétales de rose. Pour Diane de Poitiers qui fit à deux rois, père et fils, l'honneur de partager leur couche, seule l'eau de pluie possédait la pureté convenant à ses ablutions. Et le sultan de Bagdad dépêchait ses esclaves jusqu'à Cathay afin d'en rapporter les huiles de bain qui allaient oindre les beautés de son sérail; on raconte d'ailleurs que sa favorite, Kadin, attribuait l'augmentation de son pouvoir à l'huile de bain qu'elle s'était fait concocter par le magicien de la cour à partir du jasmin blanc à floraison nocturne. Catherine la Grande se nettoyait la peau avec de la vodka; le grand pouvoir astringent de celle-ci débarrassait sa peau de toutes ses impuretés et rehaussait son éclat. Aussi, méfiez-vous du drôle d'air que pourraient vous faire vos amis lorsqu'ils découvriront la bouteille de vodka dans la pharmacie de la salle de bains!

Puisque le bain constitue l'un des seuls moments de tranquillité dans nos vies très occupées, il constitue également le moment idéal pour pratiquer l'art subtil de la remise en beauté. Nous disposons pour ce faire d'une énorme quantité de recettes magiques mises au point au cours de nombreux siècles. Cette partie du livre vous en présente quelques-unes réparties en deux catégories distinctes, mais complémentaires : d'abord, des bains qui ont des propriétés embellissantes, et, ensuite, des traitements de beauté que l'on peut se donner en se prélassant langoureusement dans des eaux apaisantes.

Méditation sur l'amour et la beauté

Pendant que vous êtes dans le bain, prenez conscience de l'odeur exquise des huiles parfumées qui s'infiltre jusqu'à votre aura. Fermez les yeux, inspirez les doux parfums, puis expirez votre fatigue. Inspirez encore plus profondément, puis, au moment de l'expiration, laissez toute négativité évacuer votre corps et votre esprit.

C'est le bon moment de lâcher prise. Visualisez-vous en train de devenir complètement vide, l'esprit aussi calme qu'un étang paisible au milieu de la forêt.

Prenez conscience de votre essence véritable. Vous êtes seul. Vous pouvez donner libre cours à vos forces intérieures. Abandonnez-vous au plaisir. Imaginez que cette grande liberté vous permet de créer tout ce que vous désirez, comme par magie.

Ressentez de l'amour au fond de votre cœur, voyez votre âme s'y reposer. Voilà votre véritable identité, votre vraie réalité, toute de beauté et d'amour purs.

Laissez cet amour bouillonner à l'intérieur de vous, puis faites-le circuler dans toutes les cellules de votre corps jusqu'à ce qu'il inonde votre esprit et vos émotions.

Maintenant, laissez-vous flotter jusqu'à un endroit où règnent une paix et une satisfaction totales. Rien d'autre n'existe que la contemplation de vous-même. Vous êtes un être parfait. Vous êtes la manifestation du merveilleux miracle de la vie.

APERÇU DES BAINS DE BEAUTÉ

Bain qui donne un éclat de jeunesse

* Pour entretenir ou retrouver une peau ravissante

Bain adoucissant

* Pour avoir la peau aussi douce que celle d'un bébé

Bain de saké à la japonaise

* Pour avoir une peau resplendissante

Bain pour les peaux à problèmes

* Peau sèche, peau grasse, irritations/inflammations, acné

Bain raffermissant

* Pour avoir une peau plus douce, plus ferme, d'apparence plus jeune

Bain de sels adoucissants

* Pour astiquer le corps tout entier

Bain pour lutter contre la pollution de l'air

* Masque rajeunissant à la levure

Bain de beauté et masque comestible

* Le petit déjeuner de votre peau

Liftings naturels pour le bain

* Non, ils ne sont pas au menu!

Bain qui soigne les capillaires

* Efface la carte du temps sur votre visage

Bain pour soigner les coups de soleil

* Éteint le feu sur la peau

Bain qui donne un éclat de jeunesse

Pour entretenir ou retrouver une peau ravissante

POURQUOI Rien ne justifie qu'on ne puisse conserver une belle peau jusqu'à un âge très avancé. L'éclat de la peau n'a rien à voir avec l'âge du corps, mais reflète avant tout l'énergie intérieure. Le Bain-qui-donne-un-éclat-de-jeunesse est une entreprise à long terme. En l'incluant dans votre rituel de beauté hebdomadaire, vous aurez une peau éclatante, quel que soit votre âge.

De nombreuses femmes ont conservé une grande beauté jusque dans leur quatre-vingtième année. Gloria Swanson et Cléopâtre sont parmi les plus célèbres, de même qu'Hélène de Troie qui, à cinquante ans, en paraissait vingt. Le secret de leur air de jeunesse résidait peut-être dans une recette d'huiles de bain qui remonte à la plus haute Antiquité, mais qui est encore aussi populaire aujourd'hui. La voici donc :

4 gouttes d'huile de sésame
3 gouttes d'huile d'avocat
2 gouttes d'huile d'amande
(N'utilisez que des huiles de première pression à froid)

Vous pouvez préparer ce mélange à l'avance et le conserver à la température ambiante dans une bouteille hermétique. Lorsque vous êtes prêt à prendre votre bain, mettez-en plusieurs gouttes dans l'eau. La combinaison de ces trois huiles est parmi les plus efficaces pour raviver l'éclat de la peau. Pour un plaisir accru, vous pouvez ajouter quelques gouttes de votre huile essentielle préférée. Il ne vous reste plus qu'à fermer les yeux et laisser les huiles opérer leur charme.

Le mélange fait aussi un excellent démaquillant et peut être employé tous les jours pour améliorer l'éclat du teint.

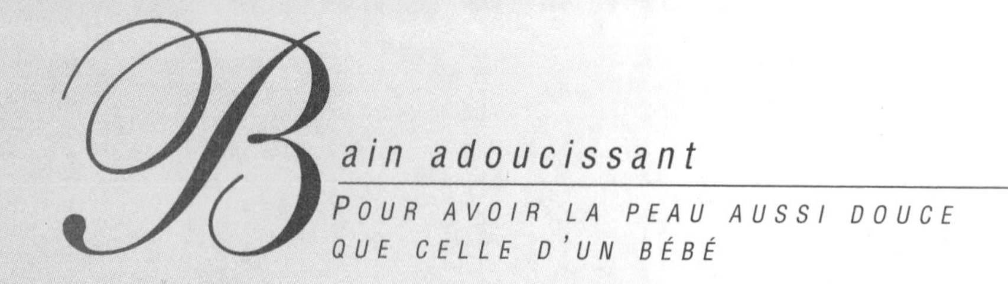

Bain adoucissant

POUR AVOIR LA PEAU AUSSI DOUCE QUE CELLE D'UN BÉBÉ

POURQUOI Je prends ce bain moi-même depuis quinze ans et les enfants me font toujours des commentaires sur la merveilleuse douceur de ma peau. Parmi ces enfants, il y en a un qui m'est très proche et qui dit que j'ai la peau la plus douce qu'il ait jamais touchée; alors que parmi mes connaissances, il y a un homme qui me demande toujours la permission de toucher ma main ou mon bras parce qu'il aime leur douceur. C'en est même devenu une plaisanterie dans notre cercle d'amis, car même s'il se trouve au restaurant en galante compagnie, il peut interrompre son repas pour venir me voir et me demander de toucher ma peau.

1 cuillerée à café (ou plus) d'huile de coco

FACULTATIF
Votre huile essentielle préférée

COMMENT Mon secret, c'est l'huile de coco. Elle se vend en pot et elle ressemble à de la graisse végétale de type Crisco. Parfois, je fais ramollir l'huile de coco au soleil ou sous l'eau chaude afin de pouvoir y mettre quelques gouttes d'huile essentielle de rose avant de la laisser durcir de nouveau. De cette manière, mon bain est toujours agréablement parfumé.

Mais vous pouvez aussi laisser l'huile telle quelle et avoir à portée de la main vos huiles essentielles préférées que vous ajouterez à votre bain selon votre désir (ou votre besoin du moment).

Voici quelques suggestions d'huiles essentielles :

Rose – pour la fièvre du printemps, pour le cœur et pour atténuer un état dépressif.
Santal – pour apaiser le système nerveux.
Romarin – pour un rajeunissement général.

Il ne faut pas prendre ce bain avec de l'huile de cèdre, car cette dernière libère une énergie négative qui ne pourra se dissiper en raison de la densité de l'huile de coco.

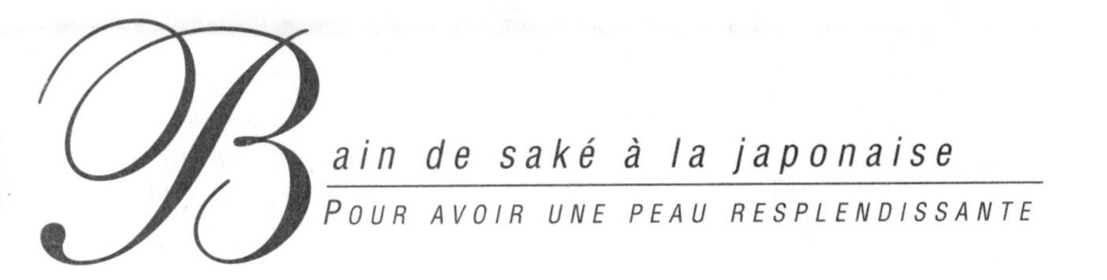

Bain de saké à la japonaise

Pour avoir une peau resplendissante

Pourquoi

Le bain au vin de riz ou saké fait partie de la tradition japonaise depuis plus de 3 000 ans. La réputation du saké pour ses vertus embellissantes est légendaire. Parlez-en aux geishas, ces femmes dont la peau est renommée pour sa douceur, sa pureté et son éclat.

Une grosse bouteille de saké (1,8 litre)

Comment

Ce bain est cher, mais extraordinaire. Prenez d'abord une douche afin de bien vous nettoyer, puis versez le saké dans la baignoire remplie d'eau chaude dans laquelle vous vous relaxerez pendant une trentaine de minutes. Vous serez étonné de la douceur et de l'éclat de votre peau qui seront perceptibles et à l'œil et au toucher. (Vous serez même surpris de la saleté de l'eau du bain; en effet, le saké excelle à extraire les toxines du corps.) Prenez ce bain lorsque vous souhaitez vous sentir en beauté et que vous avez le goût de vous offrir un plaisir digne de la décadence, mais ô combien bénéfique.

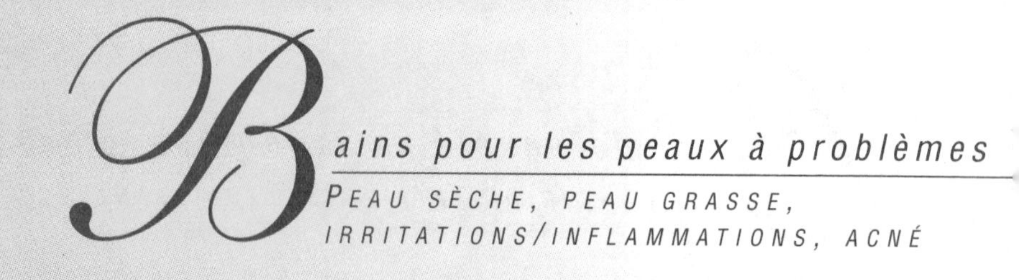

Bains pour les peaux à problèmes

Peau sèche, peau grasse, irritations/inflammations, acné

Pourquoi Certaines huiles essentielles sont efficaces pour soigner quelques problèmes spécifiques de la peau. Tantôt, vous avez la peau qui démange, tantôt elle est sèche et un peu irritée. Les principes de base de ces bains sont toujours les mêmes; je vous donnerai différentes solutions, il vous restera à choisir celle qui correspond à votre problème particulier.

Ces différentes recettes sont plus efficaces quand les ingrédients sont mélangés à l'avance et conservés dans des contenants hermétiques que l'on remise dans un endroit frais à l'abri de la lumière. Chaque bain comporte un certain nombre d'huiles essentielles que l'on mélange à une huile végétale (pressée à froid) de son choix ou de l'huile de jojoba. Compter 2 cuillerées à soupe du mélange d'huiles par bain, alors que le nombre de gouttes d'huiles essentielles de chacune des recettes suivantes servent à préparer la valeur d'un petit contenant (petit pot à confitures). Dans tous les cas, il faut bien agiter le mélange d'huiles essentielles et d'huile végétale afin de bien mêler leurs différents parfums – et leurs pouvoirs respectifs!

PEAU SÈCHE:
7 gouttes d'huile essentielle de santal
5 gouttes d'huile essentielle de géranium
5 gouttes d'huile essentielle d'ilang-ilang
3 gouttes d'huile essentielle de rosewood (Dalbergia)

PEAU GRASSE:
10 gouttes d'huile essentielle de citron
8 gouttes d'huile essentielle de cyprès ou de camphre
5 gouttes d'huile essentielle de lavande
Mélanger à de l'huile de jojoba.

IRRITATIONS OU INFLAMMATIONS DE LA PEAU:
8 gouttes d'huile essentielle de santal
4 gouttes d'huile essentielle de camomille allemande
4 gouttes d'huile essentielle de rose
Mélanger à de l'huile de jojoba.

ACNÉ:
20 gouttes d'huile essentielle de bergamote
5 gouttes d'huile essentielle de genévrier
4 gouttes d'huile de cyprès ou 15 gouttes d'huile de thé
Mélanger à de l'huile de jojoba.

Nettoyer la baignoire à fond après chaque bain, afin d'enlever les résidus d'huile et toute énergie indésirable.

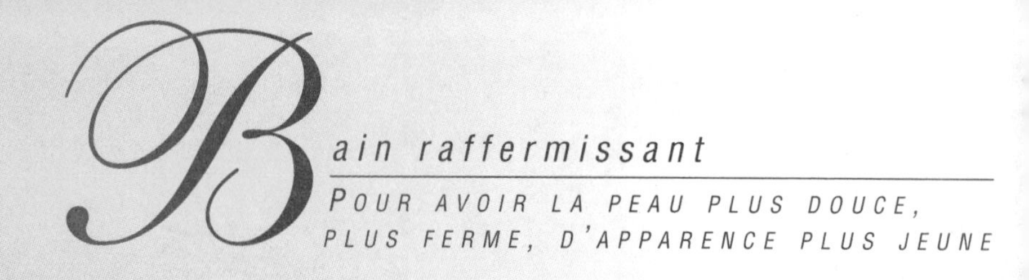

Bain raffermissant

POUR AVOIR LA PEAU PLUS DOUCE, PLUS FERME, D'APPARENCE PLUS JEUNE

POURQUOI Combiné au masque qui l'accompagne, ce bain détend le corps tout en faisant ressortir l'éclat naturel de la peau.

MASQUE

240 ml de jus de concombre frais
60 ml de miel

BAIN

8 gouttes d'huile essentielle de jasmin
8 gouttes d'huile essentielle de fenouil

COMMENT Voici une excellente façon d'entretenir la souplesse de votre peau et de lui conserver un air de jeunesse. Mélanger le jus de concombre et le miel, l'appliquer ensuite sur le cou et le visage à l'aide de tampons d'ouate. Faites des mouvements ascendants en commençant à la base du cou et en remontant doucement jusqu'au front, en évitant le tour des yeux. Gardez le masque pendant que vous vous ferez tremper dans un bain d'eau chaude dans laquelle vous aurez mis les gouttes de jasmin et de fenouil. Cet exercice raffermira votre peau en la nourrissant d'huiles essentielles.

N'oubliez pas de décrocher le téléphone et de mettre votre affiche «Prière de ne pas déranger» sur la porte de la salle de bains. C'est le moment idéal pour écouter de la musique apaisante que vous laisserez inonder votre cœur, votre esprit et votre âme, pendant que les ingrédients du bain seront à l'œuvre pour améliorer votre peau.

Bain de sels adoucissants

Pour «astiquer» le corps tout entier

Pourquoi

Ce bain débarrasse la peau sèche des squames et des cellules mortes qui l'encombrent. Il convient aussi bien aux climats chauds qu'aux climats froids. Si vous avez la peau sèche et qui pèle, vous «devez absolument» essayer ce bain.

450 g de sels d'Epsom
125 ml d'huile de tournesol pressée à froid (ou d'olive, ou d'arachide)

Comment

Mélanger le sel et l'huile, puis, en commençant par les orteils, masser tout le corps avec de petites quantités du mélange de façon à bien sentir la friction du sel sur la peau. Si ce dernier se dissout trop rapidement dans le bain chaud, faites d'abord le massage huile-sel, puis entrez dans le bain et détendez-vous pendant que l'huile restaurera votre peau.

Après ce bain, vous devriez rayonner!

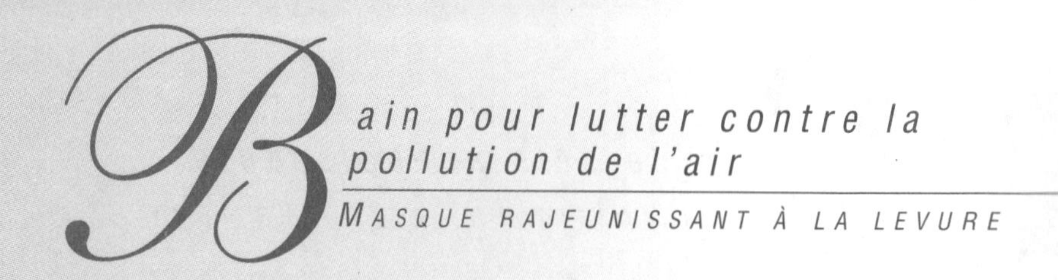

Bain pour lutter contre la pollution de l'air

Masque rajeunissant à la levure

POURQUOI En raison de l'énorme quantité de stress et de pollution qui empoisonne nos vies et notre environnement, il est important de prendre le temps de nettoyer sa peau à fond et de bien l'oxygéner. Appliqué une fois par mois, le masque qui suit vous aidera à contrer les effets de vieillissement que la pollution environnementale fait subir à votre visage. Il convient à merveille aux citadins de même qu'à tous ceux qui passent beaucoup de temps dans les avions ou dans leur voiture.

2 cuillerées à soupe de levure de bière
3 cuillerées à soupe d'eau chaude
5 gouttes d'huile essentielle de lavande
5 gouttes d'huile essentielle de camomille romaine

COMMENT Mélanger la levure avec l'eau jusqu'à ce que ce soit onctueux. Appliquer du bout des doigts sur le cou et le visage en faisant de légers mouvements de bas en haut. Laisser agir quinze minutes, pendant que vous vous prélassez dans votre bain de relaxation préféré aux huiles essentielles de lavande et de camomille romaine.

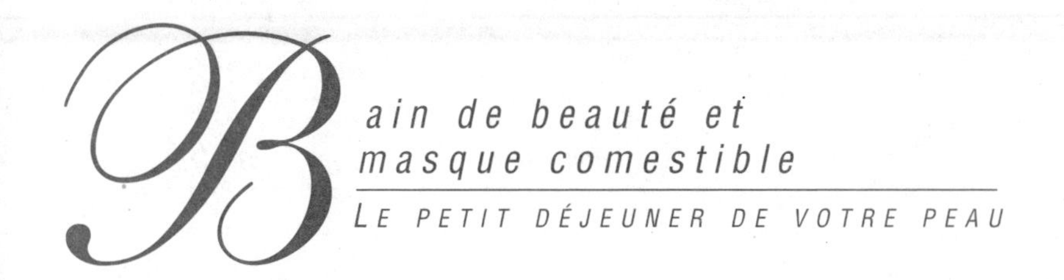

Bain de beauté et masque comestible

Le petit déjeuner de votre peau

Pourquoi

Ce masque contribue à restaurer l'éclat de jeunesse de votre visage. Lorsque vous l'enlèverez, vous retrouverez ce visage radieux et luisant que vous aviez enfant.

240 ml de flocons d'avoine
1 goutte d'huile essentielle de rose
Quelques gouttes d'huile d'amande (peut être remplacée par de l'huile de soya, toujours pressée à froid)
Gaze

Comment

Mélanger les flocons d'avoine, l'essence de rose et l'huile d'amande pour former une pâte que vous étendrez sur de la gaze stérile. D'abord, un morceau que vous appliquerez sur les joues et le nez, puis un sur le front, et un autre sur le cou.

Ensuite, détendez-vous dans un bon bain chaud pendant quinze minutes. Au bout de cette période, vous pouvez enlever les compresses de gaze et vous frictionner le corps doucement avec la pâte dont elles sont enduites. Rincez-vous rapidement sous une douche chaude; votre peau en rayonnera toute la journée!

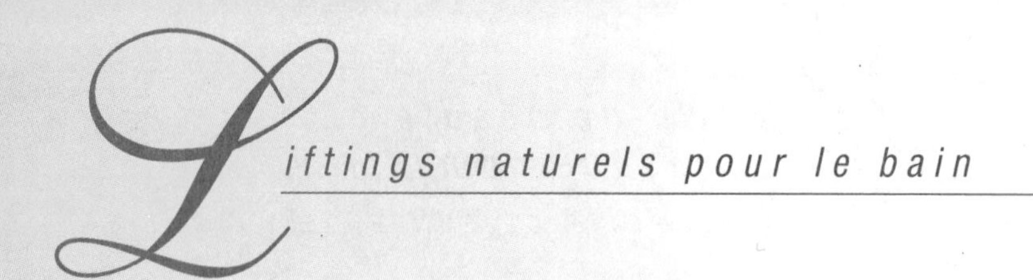

Liftings naturels pour le bain

POURQUOI Vous pourrez procéder à ces liftings naturels avec n'importe quel bain contenu dans le présent recueil.

Il n'y a pas de moment plus favorable à un lifting que celui où vous vous relaxez dans un bon bain chaud. Puisque c'est un moment de silence, les rides dues au froncement du front de même que les plis du sourire profiteront de ce repos bien mérité.

PREMIER MASQUE – MASQUE ANTI-POLLUTION

2 cuillerées à café d'argile
2 cuillerées à café de flocons d'avoine
2 cuillerées à café de miel

DEUXIÈME MASQUE – MASQUE ADOUCISSANT

240 ml de yaourt
2 cuillerées à café de miel

TROISIÈME MASQUE – MASQUE-RÉVEIL POUR RESTAURER LA PEAU FATIGUÉE

2 cuillerées à café d'huile de germe de blé
2 cuillerées à café de jus de citron
2 cuillerées à café d'argile

Bain de beauté et masque comestible

Le petit déjeuner de votre peau

Pourquoi

Ce masque contribue à restaurer l'éclat de jeunesse de votre visage. Lorsque vous l'enlèverez, vous retrouverez ce visage radieux et luisant que vous aviez enfant.

240 ml de flocons d'avoine
1 goutte d'huile essentielle de rose
Quelques gouttes d'huile d'amande (peut être remplacée par de l'huile de soya, toujours pressée à froid)
Gaze

Comment

Mélanger les flocons d'avoine, l'essence de rose et l'huile d'amande pour former une pâte que vous étendrez sur de la gaze stérile. D'abord, un morceau que vous appliquerez sur les joues et le nez, puis un sur le front, et un autre sur le cou.

Ensuite, détendez-vous dans un bon bain chaud pendant quinze minutes. Au bout de cette période, vous pouvez enlever les compresses de gaze et vous frictionner le corps doucement avec la pâte dont elles sont enduites. Rincez-vous rapidement sous une douche chaude; votre peau en rayonnera toute la journée!

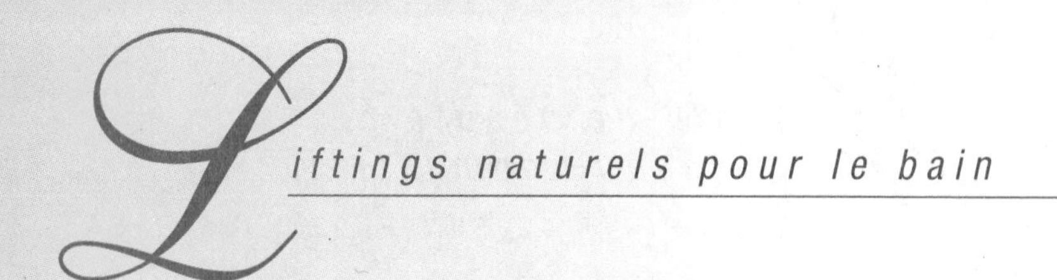

Liftings naturels pour le bain

POURQUOI Vous pourrez procéder à ces liftings naturels avec n'importe quel bain contenu dans le présent recueil.

Il n'y a pas de moment plus favorable à un lifting que celui où vous vous relaxez dans un bon bain chaud. Puisque c'est un moment de silence, les rides dues au froncement du front de même que les plis du sourire profiteront de ce repos bien mérité.

PREMIER MASQUE – MASQUE ANTI-POLLUTION

2 cuillerées à café d'argile
2 cuillerées à café de flocons d'avoine
2 cuillerées à café de miel

DEUXIÈME MASQUE – MASQUE ADOUCISSANT

240 ml de yaourt
2 cuillerées à café de miel

TROISIÈME MASQUE – MASQUE-RÉVEIL POUR RESTAURER LA PEAU FATIGUÉE

2 cuillerées à café d'huile de germe de blé
2 cuillerées à café de jus de citron
2 cuillerées à café d'argile

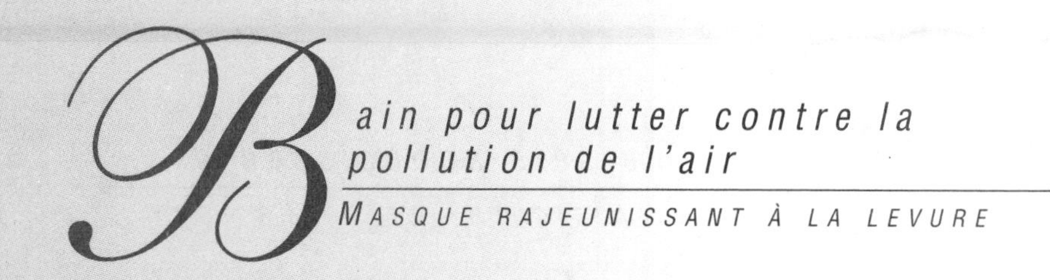

Bain pour lutter contre la pollution de l'air

Masque rajeunissant à la levure

Pourquoi En raison de l'énorme quantité de stress et de pollution qui empoisonne nos vies et notre environnement, il est important de prendre le temps de nettoyer sa peau à fond et de bien l'oxygéner. Appliqué une fois par mois, le masque qui suit vous aidera à contrer les effets de vieillissement que la pollution environnementale fait subir à votre visage. Il convient à merveille aux citadins de même qu'à tous ceux qui passent beaucoup de temps dans les avions ou dans leur voiture.

2 cuillerées à soupe de levure de bière
3 cuillerées à soupe d'eau chaude
5 gouttes d'huile essentielle de lavande
5 gouttes d'huile essentielle de camomille romaine

Comment Mélanger la levure avec l'eau jusqu'à ce que ce soit onctueux. Appliquer du bout des doigts sur le cou et le visage en faisant de légers mouvements de bas en haut. Laisser agir quinze minutes, pendant que vous vous prélassez dans votre bain de relaxation préféré aux huiles essentielles de lavande et de camomille romaine.

Bain de sels adoucissants

POUR «ASTIQUER» LE CORPS TOUT ENTIER

POURQUOI

Ce bain débarrasse la peau sèche des squames et des cellules mortes qui l'encombrent. Il convient aussi bien aux climats chauds qu'aux climats froids. Si vous avez la peau sèche et qui pèle, vous «devez absolument» essayer ce bain.

450 g de sels d'Epsom
125 ml d'huile de tournesol pressée à froid (ou d'olive, ou d'arachide)

COMMENT

Mélanger le sel et l'huile, puis, en commençant par les orteils, masser tout le corps avec de petites quantités du mélange de façon à bien sentir la friction du sel sur la peau. Si ce dernier se dissout trop rapidement dans le bain chaud, faites d'abord le massage huile-sel, puis entrez dans le bain et détendez-vous pendant que l'huile restaurera votre peau.

Après ce bain, vous devriez rayonner!

COMMENT

Mélanger les ingrédients du masque choisi pour former une pâte plutôt collante que vous laisserez reposer le temps de préparer votre bain. Éloigner les cheveux du visage en les retenant à l'aide d'un bandeau et d'un bonnet de douche. Étendre le mélange sur le cou et le visage avec de légers mouvements ascendants, de la base du cou jusqu'au front. Veiller surtout à éviter les yeux!

Détendez-vous dans le bain pendant une quinzaine de minutes en vous concentrant sur des pensées agréables. Essayez de vous rappeler et de revivre les plus beaux moments de votre vie. Lorsque vous serez prêt à ôter le masque, faites-le au-dessus du lavabo en le rinçant à l'eau chaude.

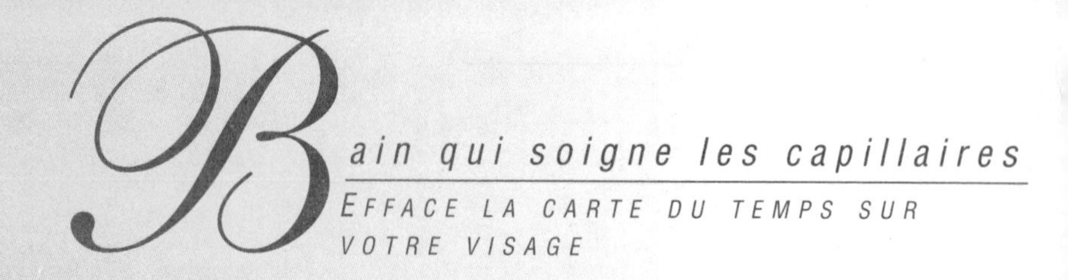

Bain qui soigne les capillaires

Efface la carte du temps sur votre visage

Pourquoi Ce bain et ce masque ont été conçus pour réparer les petits capillaires dilatés qui déparent votre visage.

3 gouttes de chacune des huiles essentielles suivantes :
Menthe
Laurier (bay = laurus nobilis) (laurel = laurus nobilis)
Romarin

Comment Mélangez toutes les huiles; puis, après vous être attaché les cheveux, faites pénétrer la préparation en massant doucement le visage et les autres régions affectées. Ensuite, plongez-vous dans un délicieux bain parfumé à votre essence préférée et détendez-vous complètement. Après quinze ou vingt minutes, retirez le masque en rinçant à l'eau chaude.

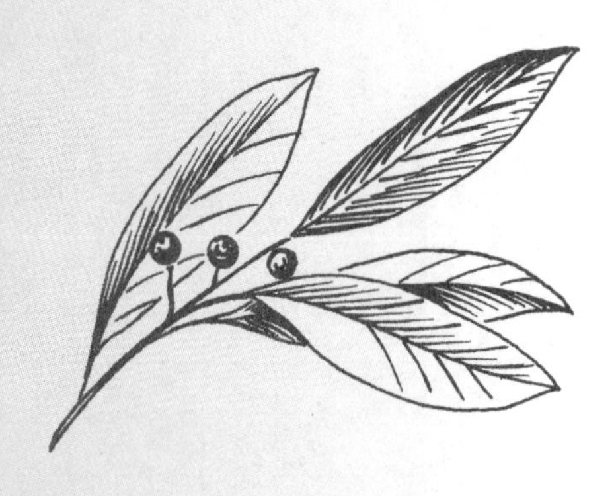

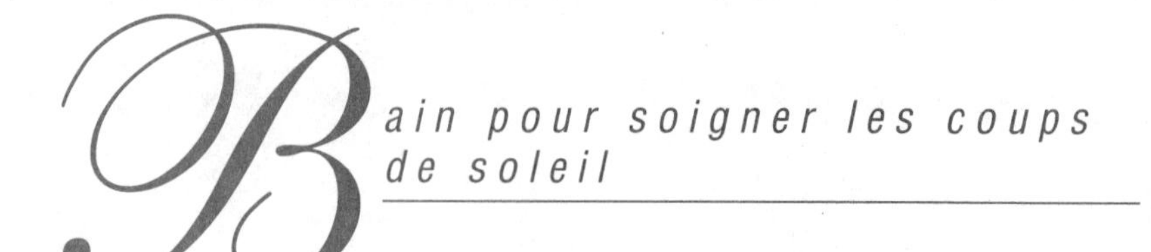

Bain pour soigner les coups de soleil

POURQUOI Nous savons tous combien les rayons solaires sont dommageables à nos tissus cutanés si fragiles. Mais, lorsque nous sommes emportés par la joie de revoir le soleil après un hiver long et froid, il nous arrive quand même d'oublier de nous protéger et d'attraper le traditionnel (et très dangereux) coup de soleil. Ne vous en faites pas, car il existe un bain qui saura guérir une peau brûlée par le soleil.

5 gouttes de chacune des huiles essentielles suivantes :
Menthe poivrée
Lavande
Camomille romaine
Un citron

COMMENT Mélangez les huiles et versez-les dans une baignoire remplie d'eau tiède. Détendez-vous et laissez les huiles enduire votre peau sensible.

Si vous n'utilisez que le citron, coupez-le et frottez-en délicatement la peau brûlée, cela l'aidera à guérir. Si vous trouvez que ça brûle trop, diluez avec un peu d'eau.

Lorsque vous êtes en vacances, vous pouvez utiliser les mêmes ingrédients en sachets et prendre un bain-tisane à base de tisanes de menthe poivrée, de camomille et de citron (ou de vrais citrons).

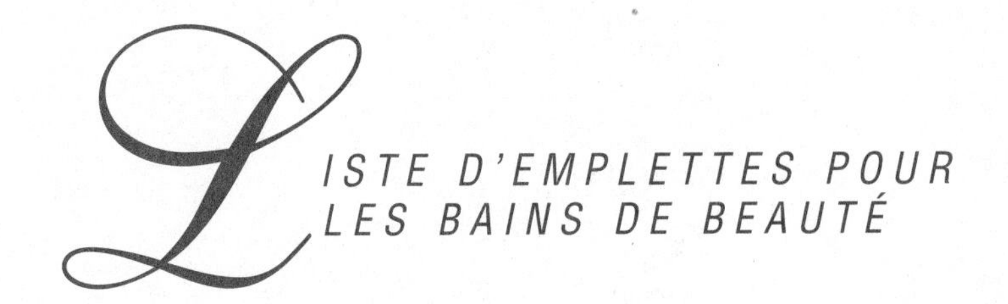

Liste d'emplettes pour les bains de beauté

Huiles pressées à froid

- Amande
- Avocat
- Coco
- Germe de blé
- Jojoba
- Olive
- Sésame
- Tournesol

Épicerie

- Citrons
- Concombres
- Flocons d'avoine
- Levure de bière
- Miel
- Sachets de camomille (tisane)
- Sachets de menthe poivrée (tisane)
- Sels d'Epsom (450 g par bain)
- Yaourt (nature, sans sucre)

Huiles essentielles

- Bergamote
- Camomille allemande
- Camomille romaine
- Camphre
- Citron
- Cyprès
- Fenouil
- Genévrier
- Géranium
- Ilang-ilang
- Jasmin
- Laurier
- Lavande
- Menthe
- Menthe poivrée
- Orange
- Romarin
- Rose
- Rosewood (Dalbergia)
- Santal

SIXIÈME PARTIE

BAINS APHRODISIAQUES

Le bain volupté

Prendre sa douche avec une autre personne, c'est pratique pour économiser l'eau, mais *prendre un bain* avec une autre personne, voilà qui donne à la notion de plaisir une dimension tout à fait nouvelle.

Pour l'être cher et vous, le bain peut être l'occasion d'un moment d'intimité, de sensualité et de volupté où vous pourrez explorer ensemble les paramètres du plaisir. Une pause au milieu des exigences de la vie de tous les jours où chacun peut prêter attention aux besoins et aux désirs de l'autre.

Pourquoi ne pas vous réserver une soirée par semaine que vous consacrerez à ce plaisir pur et simple? Couchez les enfants (ou les animaux), allumez la chaîne stéréo, baissez l'éclairage électrique et remplissez la salle de bains de bougies. Vous allez ainsi créer une électricité d'un tout autre type.

Déployez toute votre créativité. Si vous avez envie de parsemer l'eau du bain de pétales de roses, faites-le. Des flûtes de champagne ou de cidre mousseux sur le bord de la baignoire pourraient donner une touche de romantisme additionnelle à l'éclairage des bougies.

Quelle que soit votre fantaisie, c'est le temps de la satisfaire. Si vous laissez les bains mentionnés dans les pages suivantes vous transporter dans leurs paradis particuliers, l'intimité acquerra pour l'être aimé et vous un sens tout à fait nouveau.

APERÇU DES BAINS APHRODISIAQUES

Bain qui accroît l'énergie sexuelle

* Pour se défaire de ses inhibitions

Bain mystique

* Pour une nuit romantique et sensuelle

Bain qui ranime la flamme

* Pour raviver des passions qui déclinent

Bain érotique

* Lorsqu'on est à court d'inspiration

Bain de rose

* Pour les couples qui désirent ardemment un enfant

Bain ludique avec un(e) partenaire

* Amusant et délicieusement érotique

Bain qui ravive l'énergie sexuelle

* Pour ranimer le désir de votre partenaire

Bain qui accroît l'énergie sexuelle

Pour se défaire de ses inhibitions

POURQUOI Ce bain peut contribuer à renforcer l'organe masculin et peut se révéler utile dans les cas de frigidité.

5 gouttes d'huile essentielle de jasmin
5 gouttes d'huile essentielle de santal
Musique romantique, bougies, fleurs

COMMENT Avant de faire l'amour, prenez d'abord un bain avec votre partenaire. Les essences choisies sont bien connues pour leurs vertus aphrodisiaques : alors que le santal favorise la détente, le jasmin stimule le désir.

Agrémentez la salle de bains de fleurs, allumez des chandelles et choisissez une musique langoureuse et romantique. Éteignez les lumières et racontez-vous toutes les choses amusantes qui vous sont arrivées au cours de la journée; sinon, racontez-vous des histoires drôles. Évitez de parler des problèmes du quotidien ou d'aborder des sujets trop intellectuels. Peut-être vous plairait-il de vous masser les épaules ou les pieds, surtout le tour des chevilles et des talons où se trouvent les points réflexes sexuels. Ensuite, détendez-vous dans les bras l'un de l'autre et laissez la magie des huiles et de l'atmosphère faire son œuvre!

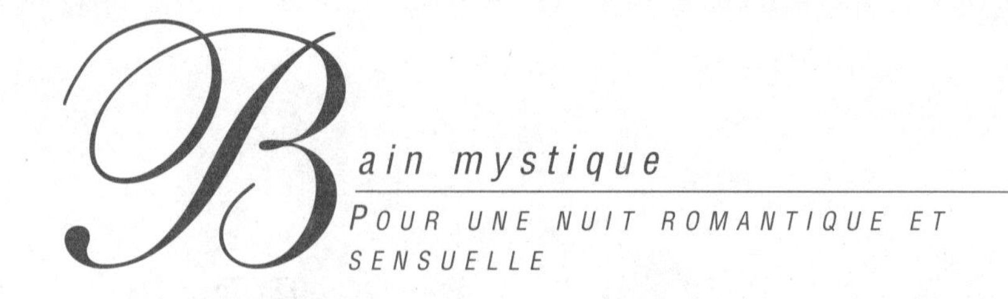

Bain mystique

Pour une nuit romantique et sensuelle

POURQUOI En laissant votre esprit prendre leur envol grâce au grand pouvoir de cette combinaison d'essences aphrodisiaques, votre partenaire et vous vous assurerez une nuit de plaisirs romantiques et sensuels. Décrochez le téléphone et fermez la porte à clé!

3 gouttes d'huile essentielle de rose – On emploie cette essence pour ouvrir le cœur. Puisqu'elle favorise l'expression des sentiments, elle prédispose au romantisme.

3 gouttes d'huile essentielle de jasmin – Le jasmin stimule l'appétit sexuel.

3 gouttes d'huile essentielle de santal – Pour relaxer le système nerveux et réveiller le désir.

3 gouttes d'huile essentielle de boswellia – Frankincense, utilisée dans les rituels favorisant les rêves.

3 gouttes d'huile essentielle d'ilang-ilang – Propriétés aphrodisiaques très marquées.

Chocolat – (Montezuma buvait toujours une boisson au chocolat avant d'entrer dans son harem.)

Champagne ou chocolat chaud – (Deux aphrodisiaques qui ont fait leurs preuves.)

Musique romantique – Suggestions : Les Valses pour piano *de Chopin ou* A Little Touch of Schmilsson in the Night *de Harry Nilsson.)*

Un bouquet de roses odorantes, rouges ou roses.

COMMENT

Après avoir réglé la température de l'eau afin qu'elle soit agréable aux deux, mettez de la musique, disposez les fleurs à la vue, puis assurez-vous que le téléphone est décroché et que la porte est fermée à clé. Versez le mélange d'huiles et dispersez-le par de grands mouvements de la main.

Vous n'avez plus qu'à entrer dans la baignoire et laisser la magie opérer.

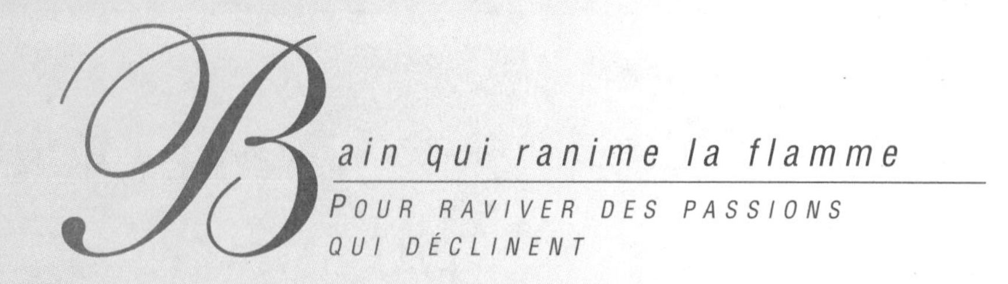

Bain qui ranime la flamme

Pour raviver des passions qui déclinent

Pourquoi Pour ranimer la passion et faire renaître l'amour dans votre vie.

3 gouttes d'huile essentielle de magnolia
5 gouttes d'huile essentielle de muscade
5 gouttes d'huile essentielle de musc d'Arabie
Un grand champagne ou un cidre mousseux
Un plateau de hors-d'œuvre variés, de petites bouchées à vous servir l'un l'autre avec les doigts
Plusieurs chandelles parfumées à votre essence préférée
Votre musique romantique préférée telle que La Mer *de Debussy*

Comment Soyez le plus «sexy» possible lorsque votre partenaire franchira le seuil de la pièce. Portez un vêtement dans lequel vous vous sentez séduisant(e). Créez un décor romantique dans la chambre à coucher et la salle de bains en utilisant une profusion de bougies et des draps parfumés avec une huile aphrodisiaque (que vous mettrez dans les coins pour éviter de les tacher).

Apportez les hors-d'œuvre et le champagne (ou le cidre) dans la salle de bains, mettez de la musique. Une fois dans le bain, essayez de vous rappeler les moments les plus romantiques de votre vie à deux. Ensemble, imaginez des voyages de rêve que vous pourriez faire dans des endroits exotiques qui sauraient réveiller vos passions.

Assurez-vous de ne pas être dérangés par les banalités du quotidien, afin de pouvoir vous détendre et laisser la soirée se dérouler dans la volupté. Et surtout, pas question de causer affaires, enfants ou problèmes!

Bain érotique

Lorsqu'on est à court d'inspiration

Pourquoi

Il arrive à certains moments que l'inspiration doive provenir de sources autres que votre partenaire. Ce bain saura vous enflammer.

4 gouttes d'huile essentielle de santal
4 gouttes d'huile essentielle de gingembre
4 gouttes d'huile essentielle de rose (facultatif)

Comment

L'essence de santal est le plus puissant aphrodisiaque qui soit. Elle apaise le système nerveux, faisant fondre toutes les tensions et les inhibitions qui nous empêchent de nous abandonner totalement sur les plans émotionnel et sexuel. Son utilisation en parfumerie au Moyen et au Proche-Orient, aussi bien qu'en Europe, est antérieure même à l'histoire écrite de l'humanité.

Vous pouvez prendre ce bain seul ou avec votre partenaire. Pour accroître votre excitation, vous pouvez avoir recours à des fantasmes ou à des textes érotiques. Vous pourriez vous lire l'un à l'autre des nouvelles d'Anaïs Nin ou d'autres œuvres ou magazines appropriés. N'oubliez pas que lorsqu'il est question d'atteindre l'orgasme, la fantaisie est beaucoup plus importante que l'anxiété. Sentez les huiles s'infiltrer dans tous les pores et tous les endroits sensibles de votre corps. Laissez-vous aller doucement là où ce bain aphrodisiaque vous conduira.

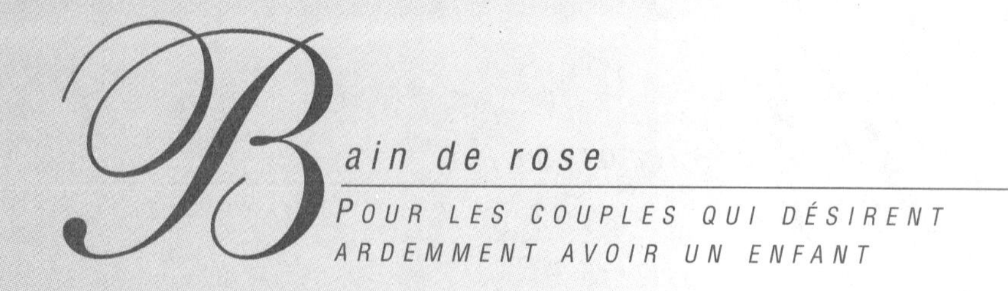

Bain de rose

POUR LES COUPLES QUI DÉSIRENT ARDEMMENT AVOIR UN ENFANT

POURQUOI Bien souvent, l'enfant représente l'expression suprême de l'amour d'un couple. Si vous éprouvez de la difficulté à concevoir, ce bain peut aider à hausser le nombre des spermatozoïdes chez l'homme. L'eau ne doit pas être brûlante, toutefois.

10 gouttes d'huile essentielle de rose
Quelques poignées de pétales de roses ou une gerbe de roses

COMMENT Lorsque vous essayez de concevoir un enfant, prenez un bain ensemble avant de faire l'amour.

Vous pourriez aussi explorer les possibilités de la méditation suivante qui porte particulièrement sur l'amour et la conception.

Avant de faire l'amour, asseyez-vous l'un près de l'autre et synchronisez votre respiration en inspirant et en expirant au même rythme. Fermez les yeux, puis, mentalement, invitez une âme particulière à entrer dans votre vie. Dites-lui tout l'amour que vous êtes prêts à lui donner et toute la joie qu'elle-même vous apportera. Dites à cette âme que vous souhaitez que sa vibration soit en harmonie avec la vôtre et avec celle de votre famille. Vous voulez que l'âme qui se joindra à vous au moment de votre union amoureuse soit *la bonne,* et qu'elle fasse partie de votre famille pour toujours.

Imaginez ces vibrations mentales voyageant à travers l'Univers et invoquez l'intervention des anges afin qu'ils vous aident à concevoir l'enfant qui sera parfait pour vous. (À la fin de la méditation, n'oubliez surtout pas de remercier les anges de leur aide.)

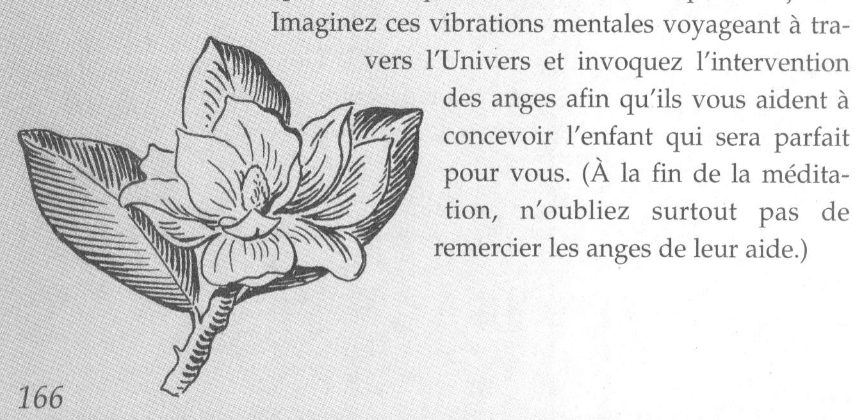

Bain ludique avec un(e) partenaire

Amusant et délicieusement érotique

Pourquoi

Il ne faut jamais sous-estimer la puissance du massage. Il existe à la grandeur du corps des points réflexes dont la stimulation peut donner de merveilleux résultats. Nous savons aussi que pour être au meilleur de notre forme sexuelle, nous devons avoir l'esprit libre de tous soucis. Pourquoi alors ne pas profiter d'un massage dans le bain pour débarrasser le corps des tensions mentales qui l'encombrent et faire place au plaisir?

5 gouttes d'huile essentielle d'ilang-ilang
10 gouttes d'huile essentielle de rose
5 gouttes d'huile essentielle de patchouli

Comment

Détendez-vous dans le bain chaud, tous les deux, puis ajoutez les huiles.

Commencez d'abord par caresser doucement les épaules et les bras de votre partenaire jusqu'au bout des doigts, un côté à la fois. Prenez ensuite chacune des mains, l'une après l'autre, puis, avec vos pouces, massez l'intérieur de la paume comme si vous pétrissiez du pain. La partie charnue située à la base du pouce est particulièrement importante, on l'appelle le mont de Vénus. Faites le même exercice aux jambes et aux pieds, puis revenez aux épaules. À ce moment-là, votre partenaire devrait être langoureusement abandonné(e) à vos lentes caresses. Peut-être aimeriez-vous consulter un bon livre de massages ou une cassette audio afin d'explorer de nouvelles avenues.

Autre possibilité

Achetez un jeu de peintures pour le bain et peignez-vous le corps, l'un l'autre..., allumez une douzaine de chandelles... et laissez votre imagination vous guider. Faites fi de toute circonspection et considérez ce bain comme un prélude voluptueux à d'autres plaisirs.

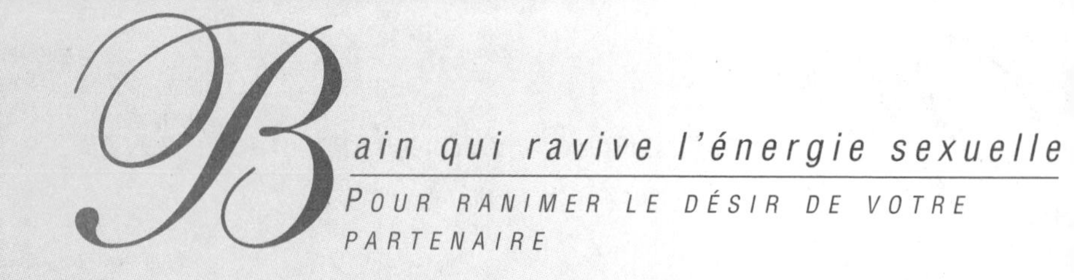

Bain qui ravive l'énergie sexuelle

POUR RANIMER LE DÉSIR DE VOTRE PARTENAIRE

POURQUOI S'il arrive que votre partenaire éprouve quelque difficulté à répondre à vos avances sur le plan sexuel, voici une façon de le requinquer.

4 gouttes d'huile essentielle de santal
4 gouttes d'huile essentielle de vanille
4 gouttes d'huile essentielle d'ilang-ilang
4 gouttes d'huile essentielle de gingembre

COMMENT Invitez votre partenaire à prendre un bain en votre compagnie et offrez-lui de lui faire un massage. Il faudra porter une attention toute particulière aux régions de la tête et de la nuque. Il y a sur le dessus de la tête, près de la ligne de naissance des cheveux, des points réflexes servant à tonifier le sexe de l'homme. Il suffira de lui appuyer doucement la tête sur votre poitrine et de faire avec vos pouces des massages par pression un peu partout sur ces points. Ensuite, massez le cou et la nuque afin d'en dissoudre toutes les tensions. Après, ce sera le tour des pieds. En vous servant de la pression de vos deux pouces, éliminez toute tension de la plante de ses pieds. Puis, concentrez-vous sur la région des chevilles et des talons. La pression doit être assez forte (sans causer d'inconfort). Ces points stimulent les organes sexuels.

Lorsque vous l'aurez ramené dans la chambre, massez-lui le bas du dos en insistant sur la région entourant le coccyx. Vous n'avez pas besoin d'appliquer beaucoup de pression; allez-y selon son plaisir.

Certains hommes réagiront immédiatement, d'autres, une journée ou deux plus tard, mais de nombreuses clientes ont été enchantées des résultats obtenus!

LISTE D'EMPLETTES POUR LES BAINS APHRODISIAQUES

HUILES ESSENTIELLES

Boswellia *(Frankincense)*
Cèdre
Gingembre
Ilang-ilang
Jasmin
Magnolia
Musc d'Arabie
Muscade
Patchouli
Rose
Santal

BOUTIQUES SPÉCIALISÉES

Bougies
Champagne, cidre mousseux
Chocolat
Roses

MUSIQUE

Chopin, *Les Valses pour piano*
Debussy, *La Mer*
Ou selon votre fantaisie

SEPTIÈME PARTIE

BAINS DE CRISTAUX

Une légende cherokee

Telle que racontée par Kenneth Cohen dans Bones of Our Ancestors (Les Os de nos ancêtres)

Yoga Journal, février 1985

Dans les temps anciens, les êtres humains vivaient en harmonie avec la Nature. Ils parlaient le même langage que les animaux. Ils se livraient à la chasse et à la pêche, mais se limitaient à la satisfaction de leurs besoins et n'oubliaient jamais de dire une prière de remerciement lorsqu'ils devaient prendre une vie. D'après les Indiens Hopis, la fontanelle sur le dessus de la tête ne s'ossifiait jamais de toute la vie. C'est par cet endroit sensible qu'ils recevaient les informations de leur Créateur concernant les lieux où habiter et les façons de vivre en équilibre. Ils conservaient l'innocence et la simplicité de l'enfance.

À mesure que le temps passait, ils perdirent cette innocence et leur fontanelle se durcit. Certaines traditions prétendent que c'était là l'œuvre du diable ou, comme disent les Juifs, du *yetzerhara,* l'instinct du mal enfermé dans l'inconscient humain. D'autres encore croyaient qu'il s'agissait tout simplement du cours naturel des événements : les êtres humains devaient perdre leur sentiment d'unité pour le recouvrer par leurs prières d'action de grâces. Ils en étaient arrivés à tuer les animaux et leurs semblables pour le plaisir et le sport.

Voyant qu'il fallait faire quelque chose, la tribu de l'Ours, grand chef de la gent animale, convoqua une conférence de tous les animaux et fit une première suggestion : «Quand les humains nous lanceront des flèches, fit-elle, pourquoi ne riposterions-nous pas?» Mais l'arc et les flèches exigeaient un trop grand sacrifice : en effet, un ours devait donner sa vie afin qu'on puisse fabriquer la corde de l'arc avec ses tendons. De plus, quand viendrait le temps de tirer, les griffes des ours allaient s'accrocher dans la corde. De toute évidence, cette solution n'était pas la bonne.

Le cerf fit une autre suggestion : «Nous allons introduire la maladie dans le monde. Chacun de nous aura la responsabilité d'un mal différent. Quand les humains transgresseront l'équilibre de la Nature ou qu'ils oublieront de remercier pour leur nourriture, ils deviendront malades.» Ainsi, le cerf invoqua le rhumatisme et l'arthrite, et chaque animal fit de même pour faire venir d'autres maladies.

Or, la tribu des Plantes, plus compatissante, trouvait cette punition trop sévère. Elle se porta donc volontaire : «Pour chaque maladie qu'attraperont les humains, l'une de nous sera présente pour les aider à guérir le mal et à retrouver leur équilibre.» La Nature tout entière acquiesça à cette stratégie, mais une plante parla plus fort que les autres. Il s'agissait de Tabac, le chef des plantes qui dit : «Pour ma part, je ne soignerai aucune maladie particulière, mais j'aiderai les gens à retourner au mode de vie sacré, à condition que l'on me fume ou qu'on me présente en offrande avec des prières et des cérémonies. Or, si l'on abuse de moi, si l'on me fume uniquement pour le plaisir, je provoquerai le cancer, le pire mal de tous.»

Très proches amis des Plantes, les Roches et les Minéraux acceptèrent de les aider. Chaque minéral aurait un pouvoir spirituel, une vibration subtile qui pourrait être utilisée pour recouvrer une santé parfaite. Le rubis, porté en amulette, saurait guérir le cœur;

l'émeraude pourrait guérir le foie et les yeux, et ainsi de suite. Cristal de Quartz, le chef de la tribu des Minéraux, était limpide comme la lumière de la Création elle-même. Passant un bras autour de son frère Tabac, il dit : «Moi, je serai le minéral sacré. Je guérirai l'esprit. J'aiderai les humains à voir l'origine de la maladie. J'aiderai à apporter la sagesse et la clarté dans leurs rêves. J'enregistrerai leur histoire spirituelle, y compris notre réunion d'aujourd'hui, afin qu'un jour, en plongeant leur regard en moi, *ils* puissent *voir* leur propre origine et la voie de l'harmonie.» Ainsi en fut-il décidé et ainsi en est-il encore aujourd'hui.

Bains de guérison aux cristaux

Les cristaux ne sont peut-être pas tels que le laissait entendre la légende cherokee, mais il est une chose dont nous soyons certains à leur sujet : ils agissent à la manière d'émetteurs d'énergie. Les premiers appareils de radio étaient des «postes à cristaux», alors que l'ensemble de la technologie moderne de transmission télévisuelle repose sur l'utilisation de puces de cristal. Étant donné que les cristaux ont un taux vibratoire qui varie selon leur forme, des pierres précieuses différentes produisent sur le corps humain des effets différents. Le rubis, par exemple, a sur le sang un effet purifiant et sur le cœur un effet tonifiant alors que l'émeraude agit sur les yeux et le foie, l'améthyste sur les centres spirituels, etc. Si nous considérons notre corps à la manière de la médecine chinoise, c'est-à-dire comme un réseau électrique complexe vibrant constamment de l'énergie du *chi* ou énergie de vie, il devient plus aisé de visualiser de quelle façon les cristaux pourraient influer sur notre santé et notre vitalité à travers leurs vibrations.

Tirée d'un texte taoïste ancien, la recette d'immortalité suivante témoigne de façon charmante de la confiance que les Chinois manifestaient envers les cristaux.

Recette chinoise ancienne pour parvenir à l'immortalité

1. *Prendre 5 morceaux de quartz limpide*
2. *Les arrondir et les polir à la pierre ponce*
3. *Faire cuire les cristaux dans un mélange d'échalote, de miel et de fougère*
4. *Quand le mélange est refroidi, ingérer en invoquant les dieux des Cinq Directions*

Chaque cristal pénétrera l'un des cinq organes principaux du corps : la rate, le cœur, les reins, les poumons et le foie – et l'empêchera de se détériorer!

En outre, l'idéogramme chinois du quartz est *Shui Ching* qui peut se traduire par «essence de l'eau», la même expression qu'on utilisait anciennement pour désigner la lune.

Nous savons que l'eau a des propriétés médicinales à peu près illimitées, aussi peut-on imaginer ce qui se produit lorsqu'elle est magnétisée et enrichie par l'énergie des cristaux.

Depuis que le monde est monde, on a toujours prisé les pierres précieuses et les cristaux, non seulement pour leur beauté et leurs pouvoirs, mais aussi pour leurs propriétés médicinales. Les chamans indiens, les prêtres égyptiens de même que les dieux et les oracles grecs ont tous déclaré que les cristaux et les pierres précieuses favorisaient les pouvoirs de guérison, de magnétisme et de conquête. On croit aussi que les Atlantes avaient atteint de tels sommets dans l'exploitation de l'énergie des cristaux, qu'ils pouvaient guérir tous les maux connus de l'homme par l'utilisation de cristaux et de pierres précieuses et semi-précieuses.

Si vous commencez à expérimenter les propriétés thérapeutiques des cristaux dans l'eau du bain, vous pourriez être agréablement surpris des résultats positifs obtenus. N'oubliez pas que le cristal émet une certaine quantité d'énergie et que celle-ci se trouve amplifiée par l'eau du bain.

APERÇU DES
BAINS DE CRISTAUX

Bain à la citrine

* Pour attirer puissance et succès

Bain au cristal de roche

* Pour nettoyer l'aura et stimuler le pouvoir de guérison

Bain au quartz rose

* Pour guérir le cœur et s'ouvrir à l'amour

Bain aux diamants herkimer

* Pour favoriser les rêves mystiques

Bain à l'améthyste

* Pour élever l'esprit

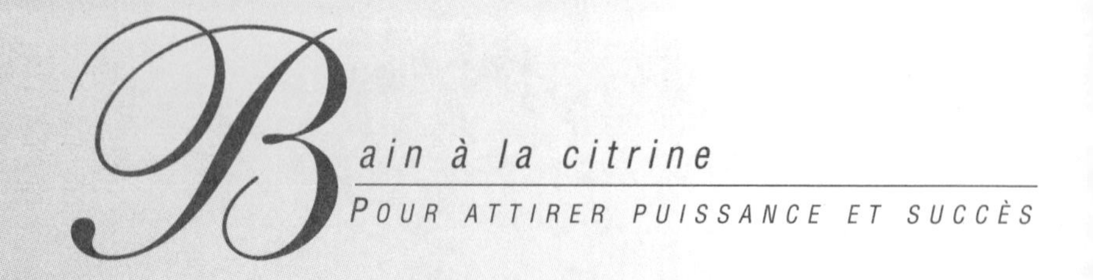

Bain à la citrine

Pour attirer puissance et succès

Pourquoi Prenez ce bain lorsque vous avez besoin d'un surcroît d'énergie pour parvenir au succès dans un domaine particulier, tel que gagner un procès ou conclure une affaire.

1 cristal de quartz jaune ou citrine (ou plus)

Toujours nettoyer les cristaux, avant de les utiliser, en les faisant tremper pendant au moins quinze minutes dans de l'eau salée (2 cuillerées à café ou 10 ml de sel dans 240 ml d'eau). Pendant cette opération, je fais toujours une prière pour demander aux anges des cristaux de purifier les pierres et de les consacrer à la guérison et au bien.

Comment Avant d'entrer dans le bain, prenez quelques minutes pour vider votre esprit et réfléchir aux buts poursuivis. Vous pourriez même les mettre par écrit et faire une liste de tous les aspects du problème et de tous les résultats escomptés. *Faites en sorte que vos buts soient parfaitement clairs!*

Maintenant, disposez doucement les cristaux de citrine dans la baignoire remplie d'eau.

Une fois que vous serez bien installé et bien détendu, imaginez-vous dans la pièce où doit avoir lieu la réunion, même si vous n'y êtes jamais allé auparavant. Imaginez ensuite les personnes concernées. Voyez-vous très clairement dans cet environnement. Voyez votre aura toute vibrante de l'énergie jaune doré de la citrine qui augmente la clarté de votre esprit et vous permet d'influencer toutes les personnes présentes en votre faveur. N'oubliez pas que tout doit se faire dans l'amour et l'énergie positive. Maintenant, visualisez avec confiance que tous vos buts ont été atteints à la satisfaction de toutes les parties. Le lendemain, ayez votre citrine sur vous lorsque la véritable réunion aura lieu afin de vous rappeler la réussite escomptée!

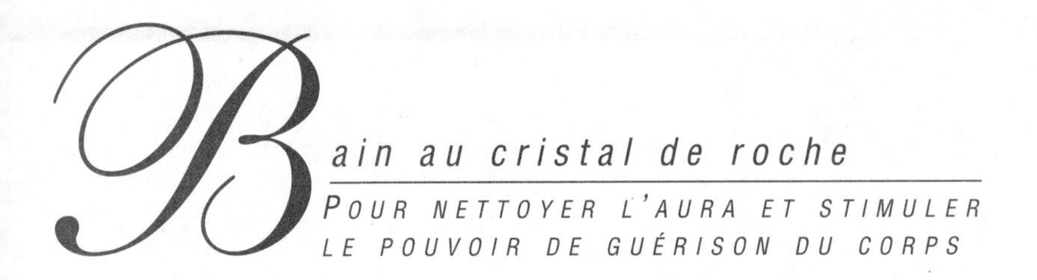

Bain au cristal de roche

Pour nettoyer l'aura et stimuler le pouvoir de guérison du corps

Pourquoi

Les cristaux de quartz sont de puissants guérisseurs. Ils nettoient l'aura et dissolvent les blocages d'énergie, libérant ainsi le pouvoir de guérison du corps.

1 cristal de quartz clair (ou plus)

Toujours nettoyer les cristaux, avant de les utiliser, en les faisant tremper pendant au moins quinze minutes dans de l'eau salée (2 cuillerées à café ou 10 ml de sel dans 240 ml d'eau). Pendant cette opération, je fais toujours une prière pour demander aux anges des cristaux de purifier les pierres et de les consacrer à la guérison et au bien.

Comment

Mettez les cristaux dans le bain. Si vous en avez plusieurs, disposez-les tout autour de la baignoire.

Une fois dans le bain, concentrez-vous sur les parties du corps qui ont besoin d'être guéries. Imaginez que le pouvoir de guérison du cristal est activé et que vous pouvez diriger ses rayons de lumière là où ils sont nécessaires. Usez de toute la créativité de votre visualisation et voyez la douleur quitter votre corps, vos organes se régénérer ou tout autre grâce vous combler selon vos besoins. Vous pouvez même imaginer les rayons du cristal fracassant une tumeur.

Quel que soit votre problème, voyez les rayons du cristal dissoudre la douleur et restaurer la vitalité de votre corps afin de vous ramener à un état d'harmonie et d'équilibre parfait.

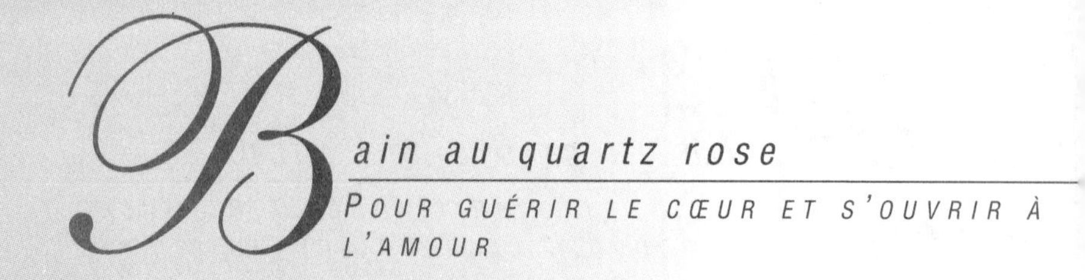

Bain au quartz rose

POUR GUÉRIR LE CŒUR ET S'OUVRIR À L'AMOUR

POURQUOI Le quartz rose sait guérir le cœur; aussi, son effet calmant, réconfortant est-il tout indiqué lorsque vous vous sentez blessé, incompris ou trahi. Ouvrant le cœur à l'amour divin, il aide à voir les choses avec plus de clarté et de compassion.

Quartz rose (1 ou plus)

Toujours nettoyer les cristaux, avant de les utiliser, en les faisant tremper pendant au moins quinze minutes dans de l'eau salée (2 cuillerées à café ou 10 ml de sel dans 240 ml d'eau). Pendant cette opération, je fais toujours une prière pour demander aux anges des cristaux de purifier les pierres et de les consacrer à la guérison et au bien.

FACULTATIF
Bougies et encens

COMMENT Mettre les cristaux de quartz rose dans la baignoire. Allumer quelques bougies et faire brûler de l'encens puis, au goût, mettre de la musique apaisante.

Au fur et à mesure que vous vous détendez dans le bain, prenez pleinement conscience de votre respiration et suivez le souffle qui entre et qui sort. Puis, pendant quelques minutes, portez votre attention sur les battements de votre cœur. Essayez d'imaginer qu'une belle lumière rosée émane du cristal de quartz rose et monte en spirale jusqu'au centre du cœur. Laissez cette lumière soulager votre chagrin. Imaginez ensuite que la lumière rose irradie du cœur pour inonder votre corps tout entier d'un amour céleste.

Laissez votre colère et vos craintes se fondre dans cet amour. Voyez maintenant la (ou les) personne(s) responsable(s) de votre tourment et imaginez-la (les) dans une bulle de lumière rose. Voyez les différends qui vous opposent se dissoudre dans cette lumière d'amour. Visualisez-vous vous pardonnant mutuellement et vous embrassant.

Enfin, imaginez-vous en train de flotter dans une mer d'amour toute rose, heureux et comblé, dans un état de bonheur total.

Bain aux diamants herkimer

Pour favoriser les rêves mystiques

Pourquoi

Les diamants herkimer représentent une variété de cristaux de quartz que l'on retrouve à Herkimer, dans l'État de New York, de même qu'au Brésil. Ils ressemblent à des diamants et ont, comme eux, de nombreuses facettes.

Les cristaux herkimer excellent à dissoudre les tensions quelles qu'elles soient, physiques ou émotionnelles. Ils ont également le pouvoir de vous transporter dans les sphères les plus élevées de l'esprit et de favoriser la conscience mystique au cours de l'état de rêve.

1 diamant herkimer (ou plus)
Bougies, encens, musique

Comment

Le meilleur moment pour prendre ce bain, c'est en soirée, juste avant d'aller dormir.

Disposer les diamants délicatement dans la baignoire. Mettre de la musique langoureuse; allumer quelques bougies et faire brûler de l'encens. Il n'y a plus qu'à laisser agir la magie des cristaux.

Restez dans le bain aussi longtemps que vous en aurez envie en laissant votre esprit flotter là où les herkimers l'emmèneront. Quand vous aurez fini de prendre ce bain, rincez les cristaux sous l'eau froide pendant une minute ou deux, puis mettez-les sous votre oreiller. Vous ferez d'agréables rêves.

Mais il faut surtout vous mettre au lit immédiatement! Pas de téléphone d'affaires à la dernière minute ou d'autres distractions du même genre.

Bain à l'améthyste

Pour élever l'esprit

Pourquoi Les Indiens d'Amérique croient que l'améthyste nous protège des esprits malfaisants. Les Grecs l'utilisaient pour guérir l'ivrognerie. Ils croyaient qu'avec cette pierre, l'homme était en sécurité; elle lui donnait la clarté de l'esprit et le faisait accéder à des univers mentaux et spirituels plus élevés. Prenez ce bain lorsque vous vous sentez menacé sur le plan psychique, lorsque vous essayez de vous débarrasser de certaines dépendances ou lorsque vous avez simplement besoin d'un remontant spirituel.

1 améthyste (ou plus) que vous aurez d'abord nettoyée(s) en la (les) faisant tremper pendant une quinzaine de minutes dans de l'eau salée (2 cuillerées à café de sel pour 240 ml d'eau)
Bougies

Comment Mettez les cristaux d'améthystes dans la baignoire. Allumez quelques bougies (violettes, si vous en avez). Assurez-vous que vous ne serez pas dérangé. Commencez par vous détendre en fermant les yeux et en vous concentrant sur votre respiration. Inspirez et expirez profondément une vingtaine de fois. Ensuite, fixez votre attention sur la flamme d'une bougie, les yeux détendus et louchant légèrement. Après une ou deux minutes, fermez les yeux et essayez de voir la réflexion de la flamme dans le troisième œil, au milieu du front, entre les sourcils. Refaites l'exercice à quelques reprises, puis détendez-vous et fermez les yeux, en gardant l'esprit sur le troisième œil. Étant donné que l'améthyste est une pierre d'une grande puissance, il ne faut pas faire ces exercices quand vous vous sentez dans un état de faible résistance psychologique, car cela pourrait provoquer de l'agitation et de l'angoisse.

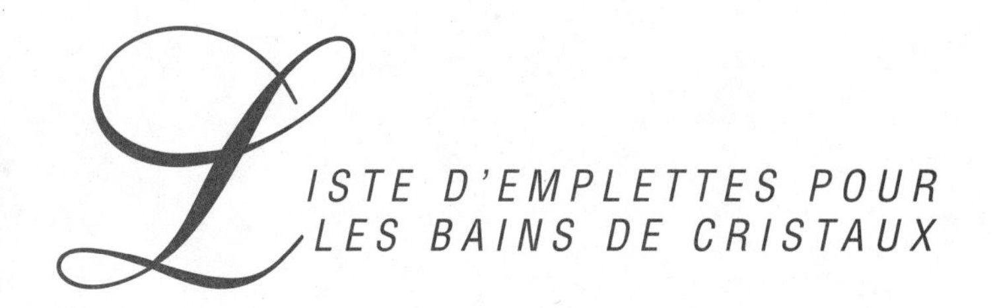

LISTE D'EMPLETTES POUR LES BAINS DE CRISTAUX

PIERRES PRÉCIEUSES ET CRISTAUX

Améthyste
Citrine
Cristal de roche
(quartz clair)
Diamants herkimer
Quartz rose

AUTRES

Bougies
Encens
Musique

GUIDE GÉNÉRAL DE RESSOURCES ET D'ACHATS

On peut trouver dans n'importe quel supermarché ou magasin de produits naturels la plupart des ingrédients recommandés dans le présent ouvrage. Si toutefois vous étiez incapable de trouver certains produits dans votre région, vous pourrez toujours écrire ou téléphoner à l'une ou l'autre des ressources dont nous vous fournissons une liste ci-après.

Huiles essentielles

Basilic
Boswellia *(Frankincense)*
Camomille
Cèdre
Citron
Eucalyptus
Fenouil
Fleur d'oranger
Genévrier
Gingembre
Ilang-ilang
Jasmin
Kyphi
Laurier
Lavande
Magnolia
Marjolaine
Menthe
Menthe poivrée
Muguet
Musc d'Arabie
Muscade
Pamplemousse
Patchouli
Romarin
Rose
Santal
Sauge
Thym
Vanille
Violette

Herboristerie

Camomille
Chaparral
Clous de girofle (entiers)
Consoude
Gingembre
Romarin
Sauge
Thym

Magasin de produits naturels

Camomille en sachets pour tisane
Camomille (fleurs séchées en vrac)
Encens
Huile d'amande
Huile d'avocat
Huile de coco
Huile de jojoba
Huile de sésame
Luffa (éponge végétale)
Remèdes homéopathiques
Sel marin
Vitamine C
Élixirs floraux du Dr Bach (que l'on peut commander auprès d'un fournisseur de produits homéopathiques – voir liste page suivante)
Chestnut Bud (bouton de marronnier blanc)
Crab Apple (pommier sauvage)
Rescue Remedy (remède d'urgence)
Walnut (noyer)

Supermarché du coin

Bicarbonate de soude
Gingembre en poudre
Miel
Sel marin ou kascher
Sels d'Epsom
Vinaigre de cidre

Boutiques spécialisées

Secret aztèque
Algues lyophilisées de France
Tableau illustrant les méridiens en acupuncture
Tableau illustrant les points réflexes de la main

De l'entrepôt à la baignoire

Pour faciliter votre initiation au bain rituel, j'ai préparé des «nécessaires complets de départ» comprenant tous les ingrédients requis par chacune des sept catégories de bains de ce recueil.

Nécessaires de départ

Emotional Soothing Baths Starter Kit
(Nécessaire de départ pour les bains qui apaisent les émotions)

Homeopathic Baths Starter Kit
(Nécessaire de départ pour les bains homéopathiques)

Healing Baths Starter Kit
(Nécessaire de départ pour les bains thérapeutiques)

Metaphysical Baths Starter Kit
(Nécessaire de départ pour les bains métapsychiques)

Beauty Baths Starter Kit
(Nécessaire de départ pour les bains de beauté)

Pleasure and Sexuality Baths Starter Kit
(Nécessaire de départ pour les bains aphrodisiaques)

Crystal Baths Starter Kit
(Nécessaire de départ pour les bains de cristaux)

Nécessaires spécialisés

The Complete Homeopathic-Bach Flower Essence Bathing Workshop
(Nécessaire complet pour les bains homéopathiques – Élixirs floraux du Dr Bach)

The Complete Aromatherapy Bathing Workshop
(Nécessaire complet pour l'aromathérapie par le bain)

Le Dream Maker :

Ces oreillers sont couverts d'œillets et remplis d'ingrédients divers servant à favoriser le rêve : du buis pour induire des rêves d'amour, des diamants herkimer pour provoquer des rêves visionnaires et des pétales de rose pour apaiser les chagrins du cœur.

Cassettes de méditations dirigées (en anglais) :

Journey to the Center of the Heart
(Voyage au centre du cœur)

Inviting a Soul to Enter Your Life (Conceiving with Awareness)
(Inviter une âme à entrer dans votre vie –
pour concevoir en pleine conscience)

Journey to the Crystal Healing Pyramid
(Voyage jusqu'à la pyramide de guérison en cristal)

Psychic Protection for the Spirit Travelers
(Protection du psychique pour les voyageurs spirituels)

Pour plus d'information,
veuillez téléphoner à :
Water Magic, Inc.
(203) 222-8854